LA VIE COMPLIQUÉE DE Léa Olivier

CATHERINE GIRARD-AUDET

Gouvernement du Québec – Programme de crédit d'impôt
pour l'édition de livres – Gestion Sodec

Nous reconnaissons l'aide financière du gouvernement du Canada par l'entremise du Fonds du livre du Canada pour nos activités d'édition.

La vie compliquée de Léa Olivier, 3. Chantage

info@lesmalins.ca

Directrice littéraire : Ingrid Remazeilles
Éditeur : Marc-André Audet
Illustration et conception de la couverture : Veronic Ly
Photographie de Catherine : Karine Patry
Mise en page : Marjolaine Pageau

Dépôt légal — Bibliothèque et Archives nationales du Québec, 2012
Dépôt légal — Bibliothèque et Archives Canada, 2012

ISBN : 978-2-89657-162-8

Imprimé au Canada

Les éditions les Malins inc.
5967 rue de Bordeaux
Montréal (Québec)
H2G 2R6

LA VIE COMPLIQUÉE DE Léa Olivier

CATHERINE GIRARD-AUDET

À Ingrid, celle qui m'a convaincue, par un bel après-midi sur sa terrasse, de foncer et d'écrire. Que serais-je sans nos 5 à 7 ? Merci pour ton œil de lynx et ton amitié !

Chapitre 1
It's not a problema!

À : Léa_jaime@mail.com
De : Jeanneditoui@mail.com
Date : Lundi 3 mars, 18 h 05
Objet : Bof...

Salut !
Premièrement : Wow ! Quand j'ai lu ton courriel, j'avais la chair de poule. Pauvre Léa ! Je sais que je n'ai jamais vraiment été amoureuse et que je suis peut-être mal placée pour parler, mais j'ai tellement de peine pour toi. Autant je sais que tu aimes beaucoup Éloi, autant je peux voir que tu as de la misère à te sortir ton Thomas de la tête... et du cœur. Mais je pense que tu sais aussi qu'il n'est pas fait pour toi, que si vous n'êtes plus ensemble et qu'il sort avec la fille que tu n'arrives pas à supporter, c'est sûrement parce qu'il y a une bonne raison.

Parlant de ça, je pense aussi qu'Alexis et moi, c'est voué à l'échec. ☹ Tu peux te douter que ma journée ne s'est pas déroulée aussi bien que prévu. Alex m'a rejointe chez moi avec un autre de ses amis et nous sommes arrivés à l'aréna juste avant le début du match. Comme je ne comprends pas grand-chose au hockey, Alex a passé tout son temps à m'expliquer les règlements. On n'arrêtait pas de rire, parce que je ne comprenais vraiment rien. Entre la deuxième et la troisième période, son ami est allé acheter des frites et des pogos. Je me suis brûlé la langue, je n'arrivais plus à parler sans zozoter ! Tous ces événements ont fait que je n'ai pas vu le temps passer, mais quand le match s'est terminé (l'équipe d'Alexis a gagné) et qu'Alex nous a proposé d'aller attendre Alexis près des vestiaires, j'ai senti une boule se former dans mon ventre. Alex s'est rendu compte que j'avais l'air stressée.

Alex : Ça ne va pas ?
Moi : Oui, oui.
Alex : Ben là ! Tu trembles comme une feuille et tu zozotes même plus !
Moi : Ben, je trouve qu'il fait froid ici.
Alex (en posant son manteau sur mes épaules) : Tiens !

Il est tellement gentil. Ça fait longtemps qu'on se fréquente à l'école, mais on dirait que je n'avais jamais remarqué à quel point il est drôle et attentionné. Bref, je n'allais certainement pas lui avouer que c'était son meilleur ami qui me rendait aussi nerveuse ! Il sait qu'Alexis m'a invitée à aller voir son match, et j'ai insisté pour qu'il m'accompagne parce que « je ne comprends rien à ce sport et que j'avais peur de m'ennuyer », mais il n'en sait pas plus.

On a attendu près de la porte du vestiaire et quand Alexis a finalement fait son apparition, j'ai complètement figé. Il était encore plus beau que d'habitude. Il sortait de la douche, et il avait une petite étincelle dans les yeux (à cause de sa victoire) qui le rendait irrésistible.

Alex : Bravo, *man* ! Belle victoire !
Alexis : Merci ! (En se tournant vers moi) T'as aimé ça ?
Moi : Euh !... (Oui, j'ai vraiment hésité.) Oui ! Oui ! J'ai aimé ça. Mais une chance qu'Alex était là pour m'expliquer le jeu, parce que je pense que j'aurais applaudi l'autre équipe ! (J'ai dit ça en riant nerveusement, genre vraiment cruche.)
Alex (en me souriant) : En tout cas, t'étais une super bonne élève !

J'ai souri et j'ai rougi comme une tomate. On dirait que je n'arrivais pas à me détendre. Je n'arrêtais pas de penser « tu es avec trois beaux gars, trouve quelque chose d'intelligent à dire » et ça ne marchait pas.

Alexis : Qu'est-ce que vous avez envie de faire ? Voulez-vous aller manger quelque chose ? On peut aller chez moi, si ça vous tente.
Alex et son ami : Ouais !
Moi : Je... Je... Il va falloir que je rentre. Mais c'était cool de m'avoir invitée. J'ai appris beaucoup... sur le hockey... et... ben, c'est ça ! (CRUCHE ! CRUCHE !)

J'ai donné des becs à Alex et à son ami, mais quand j'ai embrassé Alexis, ma boucle d'oreille est restée prise dans son foulard. J'avais l'air tellement débile avec ma tête penchée vers lui ! Il a fallu qu'Alex intervienne pour me sortir de là. Il riait pour détendre l'atmosphère.

Alex : Coudonc, ce n'est pas ta journée !
Moi : Ouais, c'est pour ça qu'il vaut mieux que je rentre chez moi avant que je mette le feu à la maison de quelqu'un !
Alexis : Ben, je trouve ça plate que tu partes déjà... En tout cas, on se reparle bientôt !

J'ai répondu d'un signe de main et je suis sortie de l'aréna le plus vite possible. Après ça, je me sentais toute croche. La vérité, c'est que je suis déçue, car je réalise que je ne me sens pas à l'aise avec lui. Tu le sais que je le trouve *cute* et tout, mais il me semble que ça ne devrait pas être aussi... peu naturel, non ? Je ne suis plus moi-même avec lui, et même si ça peut sonner bizarre, on dirait que je ne me sens pas prête à avoir un chum. L'idée de penser à lui m'angoisse un peu. Je sais que c'est étrange, mais c'est comme ça. Bref, je crois que je vais m'écouter et retourner à ma vie de célibataire. Lol ! Au moins, la journée m'aura permis de passer du temps avec Alex. Je suis peut-être naïve, mais j'espérais un peu qu'avec Alexis ce soit aussi naturel qu'avec Alex... ou qu'entre Éloi et toi. Vous êtes amis en plus d'être un couple, et je trouve que vous avez tellement l'air à l'aise ensemble.

Bon, excuse-moi pour le roman ! Il faut croire que j'avais besoin de me confier, moi aussi.

Tu rentres demain, non ? Es-tu nerveuse ? As-tu hâte de voir Éloi ou est-ce que tu te sens mélangée ?

Appelle-moi quand tu seras revenue ! Ce serait cool de faire quelque chose ensemble cette semaine.
Jeanne xx

À : Léa_jaime@mail.com
De : Thomasrapa@mail.com
Date : Lundi 3 mars, 22 h 02
Objet : ...

Salut,
Désolé pour samedi... Je sais que tu ne voulais pas me voir, mais on dirait que je ne pouvais pas m'empêcher de me rendre chez JP... comme si un aimant m'attirait vers toi. Je suis encore sous le choc de t'avoir vue et je regrette de ne pas avoir été capable de te parler, ou de te retenir quand Marilou t'a attirée loin de moi.

Je ne sais pas trop quoi dire de plus. Je pense que tu es encore ici, alors si tu as envie qu'on parle ou même qu'on se voie, fais-moi signe.
Thomas

À : Marilou33@mail.com
De : Léa_jaime@mail.com
Date : Mardi 4 mars, 23 h 31
Objet : J'ai résisté ☺

Coucou !
Je voulais simplement te dire que j'étais arrivée chez moi saine et sauve, et que même si tu doutais de ma volonté, j'ai réussi à partir sans répondre à Thomas, sans l'appeler et sans le voir en cachette en m'échappant de l'autobus !

Merci, Lou, de m'avoir soutenue pendant les deux derniers jours ! Je sais que tu n'avais pas prévu passer des journées entières enfermée chez toi pour éviter Thomas et je t'aime vraiment pour ça !! Je sais aussi que tu dois être contente de retrouver ton JP après toutes ces longues heures à t'en priver. ☺ Tu lui diras que c'est de ma faute, et que je devais absolument rester en quarantaine jusqu'à mon départ pour éviter de tomber (encore) sur mon ex et risquer une autre crise d'indigestion émotionnelle. Lol !

Dans l'autobus, j'ai essayé de me changer les idées en lisant tous les magazines qu'on s'est achetés à la pharmacie, mais ça n'a pas trop fonctionné. Je n'arrêtais pas de penser à Thomas ou à Éloi. Pourquoi mon ex a-t-il cet effet sur moi si je suis amoureuse de mon chum ? Est-ce que c'est honnête envers Éloi de m'être sentie comme ça ? Est-ce que c'est « normal » de (peut-être) éprouver des sentiments pour deux gars en même temps ? Je sais ! Tu n'as pas les réponses à mes questions. Ça fait déjà quarante-huit heures que je te casse les oreilles avec ça. Lol ! Plus j'approchais de Montréal, plus j'avais les mains moites et moins je savais quoi faire.

Quand ma mère est venue me chercher au terminus, elle m'a embrassée comme si j'étais partie depuis six mois.

Ma mère (en embarquant dans la voiture) : Tu m'as tellement manqué !
Moi (en souriant distraitement) : Oui, toi aussi.
Ma mère : Pour de vrai ? Je parie que tu n'as même pas pensé à nous ! Ça devait être le fun de revoir tes amis ? En tout cas, nous, on a en profité pour...

Elle s'est mise à me raconter des histoires de rénovations que j'écoutais d'une oreille distraite.

Ma mère : Coudonc, ça ne va pas, ma belle ?
Moi : Oui, oui, ça va. Je suis juste fatiguée par le voyage.
Ma mère (en insistant) : Léa ! C'est moi qui t'ai faite. Je suis capable de le voir quand ça ne va pas.
Moi : Ben... en fait... c'est que j'ai revu Thomas...
Ma mère : Oh, je vois. Vous vous êtes embrassés ?

Moi : Ben non, voyons ! Je ne ferais jamais ça à Éloi.
Ma mère : Alors, qu'est-ce qui te tracasse ?
Moi : Ben... Disons que ça ne m'a pas laissée indifférente. Genre que ça m'a fait un peu capoter. Genre que j'ai passé le reste de mon séjour enfermée chez Marilou pour être sûre de ne pas le revoir.
Ma mère : Voyons, Léa !
Moi : Laisse faire ! Je n'ai pas envie que tu me fasses la morale.
Ma mère : Non, non... Continue. Je ne veux pas te faire la morale... Je veux juste que tu sois bien. Et je trouve que Thomas a la fâcheuse habitude de te mettre à l'envers.
Moi : Je sais, maman. C'est pour ça que je ne voulais pas sortir de chez Marilou ! Bref, je suis censée voir Éloi demain, et je suis *full* stressée parce que j'ai peur de ne pas ressentir la même chose qu'avant. Qu'est-ce que je fais si je me mets à penser à Thomas quand je suis avec lui ? Ou pire, si je me rends compte que je ne l'aime plus ?
Ma mère : Je pense que si tu ne l'aimes vraiment plus, tu vas le savoir vite, et tu ne pourras pas lui mentir. Mais ne te casse pas trop la tête, Léa. C'est normal que ça te mette à l'envers de revoir ton ex-copain. On n'oublie pas quelqu'un en claquant des doigts ! Mais je suis sûre que ça va se replacer avec Éloi. Tu vas reprendre ton train de vie ici et ça va aller mieux...
Moi : Hum... J'espère. Mais ne dis rien à papa. Je ne veux pas qu'il m'enferme dans ma chambre jusqu'à mes

dix-huit ans parce qu'il pense que j'aime deux gars en même temps !
Ma mère : T'exagères !

Quand je suis rentrée à la maison, tout le monde était de bonne humeur et ça m'a changé les idées. Félix et moi avons préparé du spaghetti, et il en a profité pour me parler de Katherine. Il paraît qu'il n'a pas eu de nouvelles depuis notre journée de glissade avec son faux chum, et comme Monsieur n'est pas habitué de ne pas recevoir toute l'attention qu'il désire, il capote. Bien fait pour lui ! ;)

Je n'ai toujours pas réussi à parler à Éloi. Je l'ai appelé tantôt, mais sa mère m'a dit qu'il était sorti avec Alex. (Je ne savais pas qu'ils étaient rendus autant amis. C'est bizarre, non ?) En tout cas, je vais l'appeler demain matin pour savoir si on peut toujours passer une partie de la journée ensemble... On verra bien comment je me sens !

Bisous, et merci pour tout ! T'es la meilleure *best* du monde !
Léa xox

À : Léa_jaime@mail.com
De : Marilou33@mail.com
Date : Jeudi 6 mars, 10 h 08
Objet : Et puis ?

Coucou !
Ouin, ça fait bizarre de ne pas t'avoir à côté de moi. Je m'étais habituée à ta présence, surtout après avoir passé autant d'heures à végéter chez nous ! Je sais que tu ne te sentais pas toujours au paradis émotif, mais moi, ça m'a fait du bien de passer du temps à parler avec toi, à regarder *Les menteuses* en boucle et à potiner en se mettant du vernis à ongles... ☺

Comme je n'ai pas de nouvelles de toi depuis mardi, j'ai deux hypothèses :

Tu as revu Éloi, ça t'a rendue malade et tu es au lit depuis.
Les choses vont mieux et tu réalises qu'il est l'homme de ta vie.

De mon côté, j'ai passé la journée d'hier avec JP. On s'est collés en regardant des films... Mais on ne pouvait pas s'embrasser autant qu'on le voulait parce que sa mère était là.

Il avait évidemment entendu parler de notre mésaventure de vendredi soir, parce que Thomas lui avait déjà dit qu'il t'avait croisée dehors et que ça l'avait mis tout croche, lui aussi. Il ne m'a pas donné de détails sur Sarah, parce qu'il me trouve trop potineuse. Pfff! Tu peux être sûre que je n'ai pas fini de le talonner!

Bon, je te laisse! Mes parents ont pris congé et je vais passer une journée familiale avec eux et mon petit frère. « Joie »! Demain, je dois rencontrer Steph pour préparer un oral de français, mais on s'est dit qu'on serait vraiment productives pour que Seb et JP puissent venir nous rejoindre après.

Écris-moi dès que tu peux, question de me dire que t'es toujours en vie!
Lou xo

À : Marilou33@mail.com
De : Léa_jaime@mail.com
Date : Jeudi 6 mars, 15 h 31
Objet : Tout va bien!

Salut!
Excuse-moi de t'avoir laissée sans nouvelles, mais hier matin, je me suis fait réveiller par un appel d'Éloi qui me demandait de me préparer le plus vite possible parce qu'il avait une surprise pour moi.
J'ai pris ma douche sans même avoir le temps de stresser, puis je l'ai rejoint au métro. Quand je l'ai vu,

j'ai tout de suite su que je l'aimais encore. C'est comme si on n'avait pas été séparés pendant cinq jours et que je n'avais pas ressenti tant de trucs contradictoires au cours des dernières heures. Ma mésaventure avec Thomas n'était qu'une parenthèse, et là, je retrouvais celui avec qui je devais être. Je l'ai serré très fort dans mes bras, puis je l'ai embrassé, sans lui laisser le temps de dire un mot.

Éloi : Wow, c'est tout un accueil !
Moi : Je sais ! Mais je me suis tellement ennuyée de toi...
Éloi : Toi aussi, tu m'as manqué.
Moi : Tu t'es amusé, au moins ?
Éloi : Oui, j'en ai profité pour voir mes amis. José a fait un party samedi, alors j'y suis allé.
Moi : Est-ce que Maude était là ?
Éloi : Non. Ni Maude, ni Sophie. Juste Katherine et Marianne.
Moi : C'est Félix qui aurait été content d'y aller !
Éloi : Et toi ?
Moi : Euh !... C'était... C'était le fun de voir Marilou. J'ai aussi pu voir d'autres amis que je n'avais pas vus depuis longtemps.
Éloi : Et Thomas ?
Moi : Quoi, Thomas ?
Éloi : Est-ce que tu l'as revu ?
Moi : Ben non ! Bon, est-ce que tu me montres ta surprise, là ?

J'ai rapidement changé de sujet avant qu'il poursuive avec ses questions. Je me sens (un peu) mal de lui avoir menti, mais disons qu'après les longues discussions qu'on a eues avant mon départ, je ne pense pas que ce soit une bonne idée de lui dire la vérité. De toute façon, comme je n'ai pas fait exprès de voir Thomas, ça ne compte pas vraiment... T'es d'accord ?

Ma réponse a semblé le satisfaire, car il m'a tout de suite entraînée dans le métro d'un air joyeux. Je ne savais pas trop à quoi m'attendre, mais finalement on s'est rendus jusqu'à l'île Sainte-Hélène.

Moi : Tu m'emmènes dans les montagnes russes ? Je sais que l'hiver s'achève, mais quand même... ! D'ailleurs, il faut que tu saches un truc : ça m'arrive souvent d'avoir le vertige quand je suis dans un manège ! Et s'il fallait que j'aie mal au cœur et que je sois malade devant toi, je pense que...
Éloi (en riant) : Pas de stress, Léa ! On ne s'en va pas à La Ronde. C'est fermé pendant l'hiver !

J'étais un peu soulagée. J'ai toujours voulu aller à La Ronde, mais s'il fallait que je vomisse sur lui, je pense que je ne m'en remettrais jamais ! Et on s'entend qu'en matière de vomi, j'ai assez donné ! Beurk !
Éloi m'a ensuite bandé les yeux et il m'a entraînée je-ne-sais-où. On a marché pendant une dizaine de minutes. Je n'arrêtais pas de trébucher partout. Tu

connais ma grande dextérité, alors imagine quand j'ai les yeux bandés !

Moi : Où est-ce que tu m'emmènes ?
Éloi : Tu vas voir. On approche !
Moi : Mais c'est où ?
Éloi : Patience !
Moi : Tu sais, moi et la patience...

Il m'a retiré mon bandeau en guise de réponse. Je me suis frotté les yeux et j'ai aperçu Montréal qui se dressait devant moi. Il m'avait entraînée au bord du fleuve, et je dois avouer que la vue était vraiment belle.

Éloi : C'est encore plus beau le soir, mais je n'étais pas capable d'attendre !
Moi : Wow ! C'est tellement beau !
Éloi : Je sais. C'est ma cachette secrète. Je viens ici quand je ne file pas.
Moi : Ça t'arrive de ne pas filer, toi ? !
Éloi (en riant) : Ben oui ! Bref, je me disais que ça te ferait du bien de voir la ville aussi belle en revenant de chez toi... ou plutôt de ton autre chez toi. Genre que ça t'aiderait à ne pas avoir le mal du pays.
Moi : T'es ben *cute* !
Éloi : Je sais.
Moi : Ben là ! Tu n'es pas censé le savoir. Félix, sors de ce corps !

J'ai dit ça en le bousculant gentiment, sur quoi il m'a entraînée dans un banc de neige et on a continué à se chamailler comme des enfants. C'était tellement cool ! À Montréal, j'ai un chum qui m'aime et qui a trouvé une façon de me surprendre et de s'assurer que je ne sois pas triste de rentrer, alors que là-bas, il y a un gars que j'ai aimé, mais qui me fait sans cesse du mal. Je ne suis pas assez folle pour retourner vers lui !

On a passé le reste de la journée à se balader en ville. Il m'a même invitée à manger dans mon restaurant chinois préféré ! Bref, c'était une journée de rêve qui m'a vraiment permis de revenir à la réalité avec le sourire ! Il faut croire que ma mère avait raison.

Aujourd'hui, je pense végéter devant la télé. En tout cas, j'ai zéro le goût de faire mes devoirs. J'ai appelé Jeanne tantôt pour lui offrir de venir chez moi demain pour qu'on les fasse ensemble. Ça va être moins plate !

Est-ce que la relâche peut continuer toute la vie ?

À plus !
Léa xox

À : Léa_jaime@mail.com
De : Marilou33@mail.com
Date : Samedi 8 mars, 11 h 09
Objet : Les gars m'énervent

ARGH ! J'ai eu une grosse chicane avec JP hier soir. Comme je te l'avais dit, je suis allée chez Steph pour préparer notre présentation orale, et on s'est vraiment forcées pour terminer rapidement pour que les gars puissent venir nous rejoindre. Seb est arrivé vers 15 h, mais JP n'était pas là. J'étais un peu étonnée, mais Seb m'a dit que JP devait passer faire un tour au garage de l'oncle de Thomas pour voir « son nouveau char ». J'étais vraiment déçue que JP choisisse de passer du temps avec une auto plutôt qu'avec moi, et qu'en plus, il n'ait même pas la décence de m'appeler pour me dire qu'il arriverait plus tard.

Vers 17 h 30, j'ai décidé de rentrer chez moi parce que Steph et Seb se lançaient des regards langoureux et que je me sentais vraiment de trop. J'ai appelé quatre fois, QUATRE FOIS, sur le cell de JP, mais il ne me répondait pas !

Il a fini par m'appeler vers 19 h 30. Tu peux t'imaginer dans quel état j'étais ! En plus, je pouvais entendre de la musique et des rires de filles en arrière-plan.

Lui : Hey ! Ça va ? (ALLO ? ! ÉVIDEMMENT QUE ÇA NE VA PAS, NIAISEUX !)
Moi : NON !
Lui : OK... Qu'est-ce qu'il y a ?
Moi : Ben là ! Ne fais pas l'innocent ! Tu étais censé me rejoindre avec Seb chez Steph aujourd'hui, et tu ne m'as même pas appelée pour me dire que tu ne venais pas ! Tu as préféré passer la journée avec Thomas et sa nouvelle auto !
Lui : Relaxe, Marilou ! Je ne t'avais rien promis. Je t'avais dit que je t'appellerais pour te dire ce que j'allais faire, et je n'ai pas vu le temps passer. Ça me tentait de voir mon ami. Je ne vois rien de mal à ça.
Moi : Mais on était censés passer la journée ensemble !
Lui : Non, je t'avais dit que je t'appellerais pour voir si on allait se rejoindre quelque part. Il est juste 19 h 30. Relaxe !
Moi : Relaxe toi-même !
Lui : Bon, ben, si t'es dans cet état-là, c'est peut-être mieux qu'on ne se voie pas.
Moi : C'est ça, reste dans ton party avec tes filles connes !
Lui : Hein ? De quoi tu parles ? Je suis chez Thomas, qui a mis de la musique. Les voix que tu entends, c'est Sarah et son amie Julie.
Moi : C'est qui ça, Julie ? Pourquoi elle est là ? Est-ce qu'elle te colle ?
Lui (en baissant le ton) : Pantoute ! Est-ce qu'on peut s'en reparler plus tard, s'il te plaît ? Je t'appelais pour

savoir ce que tu faisais, pas pour que tu me fasses une crise de jalousie !
Moi : Je ne sais pas quel est ton problème, mais ce n'est vraiment pas cool que tu me traites comme ça !
Lui (en changeant de pièce, visiblement mal à l'aise) : Écoute, Marilou. Je pense que t'exagères. Je n'ai pas envie de m'engueuler. C'est mieux qu'on raccroche et qu'on s'en reparle quand on sera calmés.

Ce n'était TELLEMENT pas la réponse que j'attendais ! Il aurait pu s'excuser, ou me rassurer, mais non ! Il me parle comme si j'étais *full* immature ! Je lui ai raccroché au nez dans l'espoir qu'il me rappelle. Mais non. ☹ Je sais que tu vas me dire que j'y suis peut-être allée un peu fort, mais je le sens distant depuis quelques semaines. J'ai l'impression qu'il est plus indépendant, qu'il passe plus de temps avec Thomas et sa niaiseuse de blonde. J'ai peur de le perdre, tu comprends ? Tu peux t'imaginer que j'ai très mal dormi cette nuit. Je me réveillais toutes les heures en vérifiant mon cellulaire dans l'espoir qu'il m'ait écrit, ce qu'il n'a pas fait. Je sais que tu vas aussi me conseiller de m'expliquer avec lui, mais si tu te souviens bien, c'est moi qui ai pilé sur mon orgueil lors de nos dernières chicanes, et j'aimerais ça qu'il fasse les premiers pas cette fois-ci. Ce n'est même pas une question d'orgueil... C'est plus pour être sûre qu'il m'aime encore.

J'espère que ton vendredi était plus palpitant que le mien. Écris-moi dès que tu peux ! Ils annoncent ENCORE de la neige aujourd'hui. Est-ce que ça peut finir, un jour ?
Lou xox

À : Marilou33@mail.com
De : Léa_jaime@mail.com
Date : Samedi 8 mars, 13 h 52
Objet : T'es où ?

Coucou !
Je te surveille sur Skype, mais tu n'apparais pas et il n'y a pas de réponse chez toi... J'imagine que tu es sortie avec ta famille, ou alors que JP est venu chez toi et que vous êtes en train de vous réconcilier ! En tout cas, j'espère.

Je pense que c'est normal que tu sois déçue qu'il ne soit pas venu chez Steph et qu'il ne t'ait pas appelée plus tôt pour te le dire. Avouons aussi que la présence de Sarah Beaupré (BEURK !) et de son amie Julie (qu'on ne connaît pas, mais qu'on n'aime pas d'avance) n'a pas aidé la situation. C'est correct si tu préfères attendre qu'il vienne vers toi (c'est vrai que tu m'as pas mal impressionnée lors de vos dernières chicanes), mais s'il essaie de t'en reparler, je pense que tu devrais simplement lui expliquer ce que tu m'as écrit dans ton courriel, c'est-à-dire que tu le sens distant, et que tu as peur de le perdre. Je sais que je suis mal placée pour donner des conseils sur l'honnêteté, mais on s'entend que ça évite souvent des malentendus !

La journée d'hier s'est révélée plutôt amusante pour moi. Jeanne est arrivée vers 13 h et Katherine nous a appelées une heure plus tard pour savoir si elle pouvait venir nous rejoindre. Comme Félix n'était pas là, je n'ai pas pu le prévenir à l'avance. Tu aurais dû voir sa tête quand il est rentré à la maison et qu'il a vu Katherine assise dans notre salon ! Pendant quelques instants, je crois qu'il a pensé qu'elle était là pour le voir. Quand il a remarqué la présence de Jeanne, puis la mienne, et qu'il a vu les livres par terre, il a enfin compris qu'il n'avait rien à voir là-dedans.

On a bien avancé dans nos devoirs et Jeanne a pu m'aider à terminer ma composition en anglais. (Qu'est-ce que je ferais sans elle ? !) Après ça, on a eu envie de cuisiner des brownies (il ne neige pas ici, mais il pleut, alors ça ne donne pas trop le goût de sortir), et on a vraiment ri parce qu'aucune de nous ne savait comment les préparer ! À la fin, on a obtenu des carrés secs et bruns qui avaient sincèrement l'air dégueulasses.

Comme Félix se trouvait toujours des prétextes pour venir dans la cuisine, j'en ai profité pour lui offrir un brownie dégueu, qu'il a aussitôt recraché ! Il a couru vers le frigo pour boire du lait à même la bouteille (question de mieux faire passer le brownie) et on a éclaté de rire à nouveau ! Cette fois-là, il n'a pas pu se retenir lui non plus et le lait lui est sorti par les narines ! Je voyais qu'il avait honte, mais il a fait son possible pour éviter de perdre la face encore plus !

Après ça, il s'est installé près de nous et a fait exprès pour parler fort au téléphone pour s'assurer que Katherine entende qu'il allait « dans un party vraiment cool ce soir-là », sûrement dans le but de la rendre jalouse. Je ne sais pas si ça a fonctionné, parce qu'on n'a pas eu la chance d'en parler. (Il était toujours dans nos pattes !) Tout ce que je sais, c'est que quand les filles sont parties, Félix a intercepté Katherine pour lui demander s'il pouvait lui parler en privé une minute. Je n'ai pas reparlé à Félix ni à Katherine depuis, alors je ne sais pas ce qui s'est passé. Je te tiens au courant si j'obtiens des potins.

Aujourd'hui, je vais finalement céder et faire le ménage de ma garde-robe. Ma mère pense que je grandis encore et elle veut qu'on fasse le tri de mon linge. Peut-être qu'avec un peu de chance, ça va la convaincre d'aller magasiner ? Connecte-toi plus tard pour me raconter la suite de tes péripéties avec JP.

Je pense à toi !
Léa xox

P.-S. : Tu vas sûrement me dire non, mais penses-tu que je devrais répondre à Thomas ? Si JP a passé la soirée avec lui et Sarah, ça veut sûrement dire que son couple va mieux ? Et entre Éloi et moi, ça va super bien ! Je me disais donc qu'on pourrait mettre tout ça derrière nous, que je pourrais lui écrire pour « clore » la discussion et lui dire que je n'ai rien à ajouter...

À : Léa_jaime@mail.com
De : Marilou33@mail.com
Date : Dimanche 9 mars, 8 h 09
Objet : Conseil rapide

Je dois filer à mon entraînement de natation, alors je t'écris plus en longueur tantôt, mais je voulais m'assurer avant de partir que tu n'allais pas répondre à Thomas ! Pourquoi lui écrire pour lui dire que tu n'as rien à dire ? ! Ne cours pas après le trouble ! ;)

À tantôt !

P.-S. : Hier, j'étais partie faire l'épicerie avec mes parents. *Full* excitant, hein ? Pas de nouvelles de JP encore... Ça ira peut-être à plus tard.

Lundi 10 mars

16 h 33

Katherine (en ligne): Léa? Je n'ai pas eu le temps de te voir à l'école!

16 h 35

Léa (en ligne): Je sais! J'avais deux réunions pour le journal, donc zéro vie sociale! Ça va? Je voulais justement te parler! Je me demandais comment ça s'était passé avec Félix. Il est *full* de mauvaise humeur depuis samedi, alors je n'ose pas vraiment aborder le sujet avec lui...

16 h 36

Katherine (en ligne): Ouin... En fait, il voulait me dire qu'il m'aimait encore et me demander une autre chance.

16 h 37

Léa (en ligne): Wow! Qu'est-ce que tu lui as répondu?

16 h 39

Katherine (en ligne): Je lui ai dit que je n'arrivais toujours pas à lui pardonner qu'il m'ait trompée. Je l'aime encore et je vois bien qu'il me *luv*, lui aussi, mais il m'a vraiment fait de la peine. Je ne crois pas que je puisse lui faire confiance.

16 h 41

Léa (en ligne): Je te comprends totalement. Qu'est-ce qu'il a répondu?

16 h 43

Katherine (en ligne): Il m'a demandé si on pouvait au moins rester amis, mais je pense que c'est impossible pour l'instant. On est trop attirés l'un par l'autre. Ce n'est pas comme si je ne ressentais plus rien pour lui. Je pense que j'ai besoin d'une coupure. Peut-être que si je ne le vois pas il va me sortir de la tête.

16 h 43

Léa (en ligne): Je comprends que si t'es fâchée contre lui et contre la situation, ça ne te tente pas trop de le voir. Et c'est vrai que la distance aide à oublier. (Je suis experte dans le domaine!)

16 h 44

Katherine (en ligne): Je savais que tu allais me comprendre! ☺ Mais je ne veux pas m'empêcher d'aller chez toi à cause de lui. En plus, j'avoue que j'aime bien le voir souffrir et cracher des brownies devant moi! C'est une douce vengeance. Lol!

16 h 45

Léa (en ligne): En tout cas, une chose est sûre, je n'ai jamais vu Félix se mettre dans cet état à cause d'une fille!;)

16 h 46

Katherine (en ligne): C'est une mince consolation!;) Avant que j'oublie, aurais-tu envie d'aller voir *Hunger Games* la fin de semaine prochaine? J'étais censée aller le voir avec lui, alors ça me remonterait le moral.

16 h 47

Léa (en ligne): OUI!! Ça me tente vraiment!

16 h 48

Katherine (en ligne): Cool! On se voit demain! Xx

Katherine s'est déconnectée.

16 h 50

Félix (invisible): Psst!

16 h 51

Léa (en ligne): Pourquoi t'es invisible? Est-ce que tes trois blondes sont en ligne en même temps?

16 h 53

Félix (en ligne): Non. Je restais invisible parce que Katherine était en ligne. Je ne veux pas qu'elle pense que je la poursuis, ou que j'essaie de la reconquérir.

16 h 54

Léa (en ligne): Mais c'est ce que tu veux, non?

16 h 55

Félix (en ligne) : Oui, mais je ne pense pas que l'approche directe soit la solution. J'ai essayé et je me suis fait rejeter.

16 h 55

Léa (en ligne) : C'est ben compliqué, ton affaire ! Si je comprends bien, tu veux la reconquérir en silence ?

16 h 56

Félix (en ligne) : Ouais. Je ne suis pas du genre à supplier les filles. Ça ne fait pas partie de mes stratégies.

16 h 56

Léa (en ligne) : Tes « stratégies » ? HA, HA, HA !

16 h 57

Félix (en ligne) : Tu peux bien rire, mais tu sais mieux que quiconque que je n'ai pas l'habitude d'échouer avec les filles !

16 h 57

Léa (en ligne): Justement! Si tu as toutes les filles de l'école à tes pieds, pourquoi t'acharnes-tu sur la seule qui ne veut rien savoir? Tu as perdu Katherine à cause de ce que tu lui as fait endurer. Assume et laisse-la tranquille!

16 h 58

Félix (en ligne): Je pense qu'elle résiste parce qu'elle se sent blessée. Si je veux la ravoir, il faut juste que je lui prouve que je peux être un «bon gars».

17 h 00

Léa (en ligne): En te cachant d'elle sur Skype?

17 h 01

Félix (en ligne): Ben non! En jouant au gars indépendant, mais qui est là pour elle quand elle en a besoin.

17 h 01

Léa (en ligne): PFFFT! N'importe quoi!

17 h 02

Félix (en ligne) : C'est ce qu'on va voir ! À plus, la p'tite !

17 h 03

Léa (en ligne) : NE M'APPELLE PAS COMME ÇA !!!

Félix s'est déconnecté

À : Léa_jaime@mail.com
De : Marilou33@mail.com
Date : Mercredi 12 mars, 12 h 49
Objet : AU SECOURS !

Tu sais que quand je t'écris du local d'informatique, c'est parce que c'est urgent ! En plus, ça sent le sandwich pourri ici, alors il faut vraiment que ça presse pour que j'endure un tel supplice !

Tu dois penser que je t'écris à propos de JP, mais non. (Ça n'a pas changé depuis qu'on s'est parlé lundi soir. Il essaie de faire comme si de rien n'était, et moi, je reste un peu froide. On évite le sujet, mais c'est évident qu'il y a un malaise. Ce matin, j'ai senti qu'il avait envie qu'on en discute, alors je lui ai proposé de me raccompagner après l'école. Je te tiens au courant !)

Si je t'écris, c'est pour te parler de notre préférée, Miss Sarah Beaupré. Si tu te souviens bien, elle s'imagine que Steph est son « amie », ou du moins qu'elle la tolère. Bref, ce midi, elle est apparue devant notre table à la cafétéria. Elle portait des pantalons Aladin noirs et une chemise à carreaux. Genre deux styles qui ne vont pas ensemble. Elle avait relevé ses cheveux en deux petits chignons de chaque côté de sa tête, comme tu faisais souvent en secondaire 2. COPIEUSE ! Elle m'a fait un sourire super sec, puis elle s'est tournée vers Steph.

Sarah : Salut, Steph !
Steph (mal à l'aise) : Euh... Salut.
Sarah : Je sais que tu aimes beaucoup les tatouages, alors je voulais te montrer le dernier que je me suis fait faire. C'est aussi un témoignage d'amour... Maintenant, je pense que plus personne ne doutera de nous deux. Thomas et moi, c'est pour la vie. (Elle a dit ça en me regardant.)

Elle a baissé sa chemise pour nous révéler son épaule, et on a vu qu'elle s'était fait encrer un petit T.R. juste en dessous de son tatouage *Troue Love* (je ris encore de la faute). T.R. ! Genre Thomas Raby ! Elle s'est fait tatouer les initiales de Thomas pour le reste de sa vie ! Steph a écarquillé les yeux, et moi, je n'ai pas été capable de m'empêcher de rire.

Sarah (en se retournant vers moi) : C'est quoi ton problème ? Ton amie Lara n'a pas encore accepté que je sorte avec son ex ? Il serait temps qu'elle accepte qu'il ne l'aime plus.
Moi : Premièrement, tu sais très bien qu'elle s'appelle LÉA, alors arrête de faire l'innocente. Deuxièmement, Léa est celle qui n'a pas voulu reprendre contact avec Thomas, et elle est très heureuse avec son nouveau chum. C'est vraiment un bon gars. Tout le contraire de Thomas. Troisièmement, je trouve ça quétaine, des *tatoos*.

Sarah (en se tournant vers Steph) : Ton amie, elle ne connaît rien à la mode ! Bref, STEPH, je voulais aussi t'inviter à venir voir un film chez moi samedi soir avec les gars. Il me semble que ce serait le fun de se faire des soirées à QUATRE. (Elle a vraiment dit quatre avec emphase pour que je comprenne que je n'étais pas invitée. Comme si ça me tentait !)
Steph : Euh... Ben, peut-être, ouais... Laisse-moi en parler à Seb, OK ?
Sarah : OK ! Tu me donneras des nouvelles. *Bye*, STEPH !

Steph s'est tournée vers moi, un peu livide.

Steph : Ben là ! Je fais, quoi, moi ? Elle m'a prise au dépourvu. Elle pense que je suis son amie ! Je ne peux pas croire que je vais devoir me taper une soirée avec elle et Thomas !!! Pourquoi je n'ai pas pensé à inventer une excuse, genre un souper de famille ou quelque chose ? ! En plus, je ne peux pas compter sur Seb pour me sortir de là, je sais que ça va lui tenter de voir Thomas !
Moi (en riant aux larmes) : Désolée, Steph ! J'avoue que je ne cours aucun risque d'entrer dans votre gang ! Mais qui sait ? Peut-être qu'elle va devenir ta *best* et te convaincre de te faire tatouer un *Troue Friendship* sur la fesse ?

Steph a tellement ri qu'elle s'est étouffée avec ses biscuits !

On a fini de dîner et je me suis précipitée dans le local qui sent le sandwich pourri pour tout te raconter. J'espère que ça t'a divertie et que tu passes une journée pas si mal (en espérant que les nunuches ne se soient toujours pas manifestées) !
Lou x

À : Marilou33@mail.com
De : Léa_jaime@mail.com
Date : Vendredi 14 mars, 17 h 32
Objet : Dans un mois moins un jour, c'est ma fête !!!

Tant de choses à te raconter ! Mais commençons par le plus important : DANS MOINS D'UN MOIS, C'EST MA FÊTE ! Pour célébrer l'événement, j'ai commencé mon opération « convaincre mes parents par tous les moyens de m'offrir un cellulaire » en leur en parlant au petit-déjeuner. Comme ils n'ont pas refusé de façon aussi catégorique que d'habitude (ils ont mis au moins trois secondes avant de me dire « pas avant tes seize ans »), je vois ça comme un pas dans la bonne direction.

Je suis désolée pour Steph. (Mais très fière de ta blague !) Personnellement, je préférerais manger du boudin (Et tu sais à quel point *j'haïs* ça !) plutôt que de passer une soirée avec Sarah et l'endurer pendant qu'elle me parle de son nouveau tatouage, tout en se collant contre Thomas. La bonne nouvelle, c'est que ton récit m'a convaincue de ne pas lui répondre. Je me doutais que leur couple allait mieux, mais de là à ce qu'elle se fasse tatouer ses initiales, il y a des limites !

Le plus étrange dans tout ça, c'est de m'imaginer Thomas avec une fille comme elle. Comment a-t-il pu être amoureux de moi et ensuite sortir avec une fille qui est complètement mon contraire ? Et le pire, c'est qu'il reste avec elle et qu'il n'a pas l'air dégoûté par ses élans d'ésotérisme ou de quétainerie ! Quand il était avec moi, il avait de la misère à me dire « je t'aime » sans soupirer, alors que maintenant, il trouve ça cool que sa blonde se fasse encrer ses initiales sur sa peau pour le reste de ses jours ? Est-ce que c'est le même gars ? Celui que j'ai vu il y a deux semaines me rappelait vraiment le Thomas que j'ai aimé ? Peut-être qu'en me voyant, il redevient lui-même, mais qu'avec elle, il devient genre mielleux, tendre et... démonstratif ? Si c'est ça, peut-être qu'en fait, c'est moi le problème ? !

Passons maintenant aux nouvelles de ma « super » école. J'ai tellement de devoirs que je soupçonne les profs de vouloir se venger pour notre semaine de vacances ! Et comble de malheur, aujourd'hui, mon professeur d'anglais a décidé d'animer un débat sur les jeux vidéo (je pense que c'était ça, mais je ne suis pas sûre d'avoir compris), et Sophie s'est arrangée pour m'humilier devant la classe en me demandant de donner mon point de vue (dans le seul but de rire de moi).

Elle : *Come on, Léa ! Say what you think !*

Comme je ne comprenais rien, j'ai haussé les épaules et j'ai répondu : « it's not a *problema* ». J'ai. Parlé. Espagnol. LA HONTE ! Mais pourquoi je m'arrange tout le temps pour me ridiculiser davantage ?

Tout le monde a éclaté de rire et Sophie a donné un coup de coude complice à Maude qui étrangement, n'a pas réagi. Ne va surtout pas croire que son indifférence est liée à notre moment de « trêve » survenu avant les vacances ! En réalité, Maude est plutôt amorphe depuis le début de la semaine. Katherine m'a raconté que José fréquentait une autre fille et que ça l'affectait beaucoup. Je ne souhaite pas son malheur, mais si ses problèmes de couple peuvent me permettre de respirer un peu mieux pendant quelques semaines, je vais le prendre !

Au journal, Éric m'a dit qu'il était vraiment satisfait du succès de mes horoscopes, et il m'a demandé si ça me tentait d'écrire une chronique genre « éditoriale » pour les prochains numéros. Une chronique à moi qui porterait mon nom ! Genre « La chronique de Léa » ! C'est cool, non ? Il m'a même dit qu'il me donnait carte blanche, à condition que je ne nomme personne et que mes propos ne soient pas méprisants « parce qu'il ne faut pas tomber dans le piège et encourager l'intimidation ». Je comprends son point de vue. Je pense qu'il s'est rendu compte que j'étais capable de déguiser mes attaques ou du moins d'être ironique pour me faire comprendre ! Je dois remettre ma première chronique dans dix jours, alors je dois vite trouver un thème. Aide-moi !

Que fais-tu en fin de semaine ? As-tu réglé les choses avec JP ? Donne-moi vite des nouvelles ! Je serai chez moi toute la soirée. Demain, je vais voir *Hunger Games* avec Katherine. Youpi ! Après le film, je suis censée rejoindre Éloi pour qu'on passe la soirée ensemble.

Est-ce que sans m'en rendre compte je commencerais à avoir l'ombre d'une vie sociale ? ! Lol ! En tout cas, je suis loin d'avoir atteint le niveau de celle de mon frère, qui « doit aller faire un tour dans trois partys différents ce soir ». En plus, il dit ça d'un air nonchalant, comme si c'était normal d'être aussi populaire. Pour un gars en « peine d'amour », je trouve qu'il s'en sort pas si mal !
Léa xox

Chapitre 2
Respirons par le nez !

À : Léa_jaime@mail.com
De : Marilou33@mail.com
Date : Samedi 15 mars, 11 h 48
Objet : Thomas le tendre !

Coucou !
Je vais beaucoup mieux ce matin. Premièrement, il fait beau et chaud, ce qui fait fondre la neige et me donne espoir que l'été s'en vient et que l'école s'achève ! Deuxièmement, après notre tentative ratée de parler de notre chicane de la semaine dernière (mercredi, Seb s'est joint à nous pour rentrer à la maison, ce qui m'a encore plus énervée parce que JP ne lui a jamais dit de décoller parce qu'on devait parler de choses sérieuses), je me suis ENFIN réconciliée avec JP hier soir.

Comme ses deux amis avaient quelque chose de prévu (la soirée poche chez Sarah Beaupré), j'étais certaine de ne pas être interrompue quand je lui ai proposé de le raccompagner chez lui (chez moi, on aurait eu mon petit frère dans les pattes). Au début, on était un peu mal à l'aise, parce que le temps avait passé et qu'on ne savait plus trop comment aborder la chose.

Moi : Tu sais, ce qui m'a le plus choquée, c'est de sentir que tu m'avais oubliée et que ça ne te dérangeait pas vraiment de ne pas passer la soirée avec moi.
Lui : Ben non, tu sais que j'aime ça être avec toi ! Mais tant qu'à passer du temps à quatre où je ne peux pas

vraiment te coller, ni jaser avec mes amis, je préfère être avec toi quand on peut être seuls.
Moi : Pourquoi tu ne me l'as jamais dit ?
Lui : Voyons, Marilou ! Je pense que tu me connais assez pour savoir que je ne tripe pas vraiment sur les activités entre couples !
Moi : Alors, ça ne te dérange pas de ne pas aller chez Sarah, ce soir ? Je ne suis pas invitée, mais je suis sûre que tu pourrais te joindre à eux si t'en avais envie...
Lui : Tellement pas ! Je n'aime pas ça, ces soirées-là ! C'est pour ça qu'à chaque fois que nos amis essaient d'organiser des trucs de couples, on se chicane !
Moi : Et c'est pour ça que t'es distant des fois ?
Lui : Ben oui ! Je suis un gars, Lou.
Moi (en poussant un soupir de soulagement) : Ça fait du bien d'entendre ça ! Je commençais à penser que c'était moi qui étais trop collante ou trop fifille ! Tu sais, le genre de blonde qui trouve que son chum n'aime pas être avec elle.

Il s'est arrêté et il s'est mis à rire. Il s'est approché de moi et il m'a embrassée.

Lui : Es-tu folle, Lou ? J'ai tout le temps le goût d'être avec toi ! Arrête de paniquer, OK ?
Moi (en souriant) : Mouais... OK ! Mais est-ce que je peux te poser une dernière question ?
Lui (en souriant aussi) : Est-ce que j'ai le choix ?
Moi : Non. C'est mon côté fifille qui ressort.

Lui : Vas-y, alors !
Moi : Je ne veux pas jouer à la blonde parano, mais tu me le dirais si tu ne m'aimais plus ou si tu n'étais plus bien avec moi, hein ?
Lui : Ben oui ! C'est sûr ! Pourquoi tu me poses la question ?
Moi : Ben là ! Regarde ce qui s'est passé avec Léa et Thomas. Il l'a laissée sans jamais lui expliquer ses raisons. S'il n'était pas bien, il me semble qu'il aurait pu lui dire ! Je le trouve tout croche, ton ami ! Un jour, il fait vomir Léa en lui lançant des regards intenses, et le jour suivant, il sort avec une cruche qui se fait tatouer ses initiales et qui organise des soirées de couples avec ses amis ! On dirait que ce n'est pas le même gars ! Je ne voudrais pas que ça nous arrive. Genre que tu ne sois pas toi-même avec moi ou que tu ne me dises pas ce que tu ressens. (Aimes-tu ma façon déguisée d'obtenir de l'information sur Thomas ? Lol !)
Lui : Notre relation n'a rien à voir avec celle de Léa et Thomas ! Et si elle n'était pas partie, ils seraient peut-être encore ensemble.
Moi : Tellement pas !
Lui : De toute façon, ce qui se passe dans leurs vies ne me regarde pas. C'est vrai que Thomas est différent avec Sarah, mais ce n'est peut-être pas une mauvaise chose !
Moi : Quoi ?! Comment peux-tu dire ça ? As-tu vu comment elle est ? Comment peut-il endurer ça après être sorti avec une fille comme Léa ?!

Lui : Et c'est quoi le rapport avec nous ? (OK, je suis peut-être allée trop loin. Lol !)
Moi : Aucun... Je veux juste que tu me le dises quand ça ne va pas ou quand t'as besoin d'air et de voir tes amis. Je pense que ça va nous éviter des chicanes. Et je ne voudrais surtout pas que tu trouves ça « trop compliqué », que tu casses et que tu sortes avec une Sarah Beaupré.
Lui : OK. *Deal !*
Moi : Et je veux que tu me promettes de ne jamais te faire tatouer de choses quétaines sur le corps.
Lui (en riant) : Promis !

Et on s'est embrassés encore ! ☺ Après, nous sommes allés « regarder un film » chez lui (je ne pourrais même pas te dire le titre !). Ça m'a fait du bien de passer une soirée collée contre lui ! Ça m'a aussi rassurée de savoir qu'il ne tenait pas à participer aux soirées de couples organisées par Sarah. Pour ce qui est de Thomas, je te promets de creuser plus loin dès que j'en aurai la chance. Je ne vois pas en quoi Thomas le tendre est tellement mieux que Thomas le mystérieux, mais je vais finir par le savoir !

J'espère que *Hunger Games* est aussi bon qu'il en a l'air ! Tu me raconteras !! Et arrête de te trouver *loser*. Félix est peut-être dans une catégorie à part, mais sans même t'en rendre compte, tu es en train de te former une gang, toi aussi ! Je commence même à être jalouse. ;)
Lou xox

Dimanche 16 mars

14 h 33

Léa (en ligne): Lou?

14 h 33

Marilou (en ligne): Coucou!

14 h 34

Léa (en ligne): Je suis contente que tu sois en ligne! J'ai deux urgences.

14 h 34

Marilou (en ligne): Je t'écoute. (Je fais mes devoirs et c'est plate, alors toutes les raisons sont bonnes pour me laisser distraire.)

14 h 35

Léa (en ligne): Première urgence: je pense que j'ai grossi! Ça doit être tous les beignes que j'ai mangés pendant mes soirées de rejetitude.

14 h 36

Marilou (en ligne): Ben non! Tu capotes. Je viens de te voir et t'es comme encore plus belle qu'avant! Tu n'as pas grossi d'une miette!

14 h 36

Léa (en ligne): Ben là! Je ne rentre plus dans mes *skinny*! Et ma mère ne les a pas mis dans la sécheuse, alors je ne peux pas utiliser ça comme excuse!

14 h 37

Marilou (en ligne): Ta mère a sûrement raison. C'est sûrement parce que tu grandis encore! Tu sais, la puberté, ce n'est pas un mythe!

14 h 37

Léa (en ligne): Tu penses que c'est ça? Genre que mon corps change encore? Je pensais que depuis que j'avais mes règles, ça s'était arrêté... Mais tu dois avoir raison. J'aime mieux penser ça que devoir arrêter de manger des beignes.

14 h 38

Marilou (en ligne) : J'exige que tu continues à manger des beignes. Et j'exige que tu arrêtes de complexer. T'es super belle, Léa ! C'est normal que notre linge ne nous fasse plus des fois. C'est juste une bonne excuse pour demander à ta mère d'aller magasiner !

14 h 40

Léa (en ligne) : Ouin, OK... Je me calme. Mais il y a une autre urgence !

14 h 41

Marilou (en ligne) : Quoi ?

14 h 42

Léa (en ligne) : Ben, tu sais, après avoir lu ton dernier courriel, je suis restée un peu songeuse. Si c'est vrai que Thomas a changé en étant avec Sarah Beaupré, peut-être que c'est moi, le problème ? On la trouve quétaine, mais au fond, elle détient peut-être la clé du succès en amour ! D'ailleurs, je t'ai posé la question dans mon dernier message...

14 h 43

Marilou (en ligne): Je sais, et j'ai décidé de l'ignorer parce que je trouve ça complètement ridicule !

14 h 44

Léa (en ligne): Ben, Éloi n'a pas l'air de penser ça !

14 h 45

Marilou (en ligne): Hein ? C'est quoi le rapport avec Éloi ?

14 h 47

Léa (en ligne): Ben, hier, après être sortie du cinéma (Le film avait l'air *full* bon !! Le seul problème, c'est qu'on est allées le voir en anglais et que j'ai seulement compris genre 30 % des dialogues, alors je vais devoir le relouer en français en cachette pour mieux comprendre… Ne le dis pas à PERSONNE !), je suis allée faire un tour chez Éloi et je lui ai demandé s'il me trouvait, genre, compliquée. Il n'a pas nié.

14 h 48

Marilou (en ligne) : C'est sûr qu'il n'a pas nié. Tous les gars trouvent les filles compliquées !

14 h 48

Léa (en ligne) : Ouais, mais en y repensant bien, c'est vrai que j'avais le don de chercher un peu la chicane avec Thomas, et peut-être qu'il se refermait avec moi parce que je ne l'encourageais pas à s'ouvrir.

14 h 49

Marilou (en ligne) : Hein ?

14 h 50

Léa (en ligne) : Ben là ! C'est évident ! Peut-être que comme j'avais peur de perdre Thomas, j'essayais d'éviter qu'il s'ouvre parce que je voulais éviter qu'il parle de choses qui auraient pu compliquer notre relation, et qu'avec Éloi, je commence aussi à compliquer la situation, pour qu'il se perde, pour éviter qu'il parle des vraies choses.

14 h 51

Marilou (en ligne): Euh... Je ne sais pas quoi dire. Tu m'as perdue.

14 h 52

Léa (en ligne): ☹

14 h 52

Marilou (en ligne): Tout ce que je peux te dire, c'est que le problème entre Thomas et toi ne venait pas juste de toi. Ça n'a pas marché, c'est tout ! Et là, tu sors avec un gars génial qui prend soin de toi et qui te prépare des surprises, alors arrête de te casser la tête et d'avoir peur de tout gâcher, OK ?

14 h 53

Léa (en ligne): OK ! ☺ Merci, ça fait du bien à entendre !

14 h 53

Marilou (en ligne): Et je te promets que je ne dirai jamais à personne que tu n'as rien compris à *Hunger Games* et que tu dois le revoir en cachette en français ! Lol !

14 h 54

Léa (en ligne): Merci ! J'ai tellement honte ! Ça prend combien de temps devenir bilingue ?

14 h 54

Marilou (en ligne): Lol ! Je dois aller à la piscine... Ça va aller ?

14 h 55

Léa (en ligne): Oui, oui. Je vais aller demander à ma mère de m'emmener magasiner. Ça va me changer les idées !

14 h 56

Marilou (en ligne): Bonne idée ! À plus tard ! xx

Le Blogue de Manu

Inscris un titre : Puberté

Écris ton problème : Salut, Manu ! Je suis un peu gênée de te demander ça... Mais je n'ose pas en parler à mes parents, et ma meilleure amie pense que c'est normal, mais je veux juste m'en assurer. J'ai quatorze ans (j'en aurai quinze dans vingt-huit jours), et je pense que je grandis encore (et j'élargis un peu) même si j'ai déjà eu mes règles. J'ai peur de prendre du poids sans grandir, ou de continuer ma puberté jusqu'en secondaire 5 ! D'un côté, ça ne me ferait pas de tort, parce que je suis encore une des plus petites de ma classe, mais comme ma mère est petite, je pensais que c'était génétique. Est-ce que je suis normale ?

Léa xox

Manu répond à deux questions par semaine. Tu seras peut-être choisie...

Le Blogue de Manu

Inscris un titre: Oublie la dernière question... en voici une nouvelle!

Écris ton problème: Rebonjour, Manu! Finalement, je suis allée voir ma mère pour lui dire que j'avais besoin de nouveaux vêtements parce que je n'entrais plus dans mes jeans, et elle m'a dit que c'était normal parce que j'étais en pleine puberté! Sans trop le vouloir, elle a commencé à me parler de mon corps, des changements de la nature et de la sexualité (misère!), mais au moins, elle m'a expliqué que j'étais normale, et que j'allais sûrement continuer à grandir un peu (et à élargir un peu) au cours de la prochaine année. Elle m'a dit qu'elle me trouvait belle et que je ne devais pas complexer parce que je devenais une femme. J'ai donc décidé d'adopter son attitude et de devenir féministe.

Cela dit, je voulais en profiter pour avoir tes conseils sur l'amour. Est-ce que c'est normal que je me pose toujours des questions par rapport aux relations? On dirait que ces temps-ci, je me remets beaucoup en question. Avec Thomas (mon ex), je pense que j'avais tellement peur de le perdre que j'angoissais tout le temps et que je cherchais un peu les problèmes. En plus, je sentais souvent qu'il ne prenait pas assez soin de moi. Avec Éloi (mon chum), c'est tout le contraire! C'est un gars attentionné qui me fait des surprises, mais malgré ça, j'ai l'impression de ne pas vraiment apprécier le moment présent. Ma question finale est la même que dans mon dernier message : Est-ce que je suis normale ?

Léa xox

Manu répond à deux questions par semaine. Tu seras peut-être choisie...

À : Léa_jaime@mail.com
De : Marilou33@mail.com
Date : Lundi 17 mars, 16 h 48
Objet : JE CAPOTE !

Léa, je capote, et pas dans le bon sens !! Je reviens de ma visite chez le dentiste... et, tiens-toi bien, il nous a conseillé à mes parents et moi de me faire poser des broches ! DES BROCHES !!! Je me suis fortement opposée à son idée, car mes dents sont loin d'être assez croches pour justifier que j'aie l'air d'un chemin de fer pendant dix-huit mois, mais il dit que ce serait mieux parce que j'ai une petite bouche et que je dois faire de la place pour mes dents de sagesse, et parce qu'elles risquent de se chevaucher encore plus si je reste comme ça. J'ai dit qu'il pouvait m'arracher mes dents de sagesse tout de suite (il paraît que c'est impossible parce qu'elles n'ont pas encore poussé et qu'elles se trouvent justement partiellement sous mes molaires) ou m'opérer pour régler ça en quelques heures, mais il n'y a rien à faire. Mes parents sont d'accord, en plus !

J'ai pleuré, j'ai crié, mais ils ne veulent rien entendre ! En plus, mon père a des assurances dentaires, alors l'argument de l'argent ne tient pas ! Qu'est-ce que je vais faire ? Je vais être horrible avec ça, non ? Et si JP me trouve laide et me laisse ? Ou pire, et si sa langue s'écorche sur mes broches quand on

s'embrasse ? ! Et qu'est-ce qui se passe si un gros morceau d'épinard reste coincé dans mes broches et que je souris toute la journée sans que personne ne me le dise ? ! ? AIDE-MOI !
Lou x

À : Marilou33@mail.com
De : Léa_jaime@mail.com
Date : Lundi 17 mars, 18 h 17
Objet : Respirons par le nez !

Salut !
Comme tu es au téléphone avec JP depuis trente-cinq minutes, j'imagine que tu hyperventiles et qu'il essaie de te calmer, et là, c'est à MON tour de te rassurer ! Regarde autour de toi, Lou. La moitié des gens ont eu ou ont encore des broches, et ce n'est pas la fin du monde ! Lydia et Sophie en portent en ce moment, et je dirais même que ça leur va bien (il ne faut jamais qu'elles sachent que je leur ai fait un compliment). Quand je fréquentais ton école, on n'a jamais même pensé rire des gens qui en portaient parce qu'on le remarquait à peine ! Je pense que dans ce cas-ci, tu vois ça pire que ce ne l'est, parce que ça t'arrive à toi, mais je te jure que ça ne fera aucune différence, et que JP va t'aimer autant. Sinon, c'est qu'il est vraiment con !

Pour ce qui est des *frenchs* et des morceaux d'épinards coincés dans tes dents, tu exagères ! Je suis sûre que tu vas t'habituer à embrasser JP. Au pire, tu trimballeras un petit miroir de poche pour t'assurer que tu n'as aucun aliment de coincé entre les dents après tes repas (je fais la même chose et je n'ai pas de broches !). Dis-toi que ce n'est que dix-huit mois et qu'après tu auras des dents parfaites pour le reste de ta vie ! C'est cool, ça ! Mes dents du bas se chevauchent, et je vais devoir vivre avec ça, alors que toi, tu vas pouvoir faire des sourires Crest et être *full* belle sur toutes tes photos !

J'espère que mon courriel et les encouragements de JP (je suis sûre que c'est ce qu'il est en train de faire) vont te convaincre que ce n'est pas la fin du monde ! En tout cas, ton histoire m'a donné une idée pour ma première chronique ! Comme quoi le malheur des uns fait le bonheur des autres ! Mouahaha !
Léa xox

Mercredi 19 mars

19 h 35

Félix (en ligne): Yo!

19 h 36

Léa (en ligne): «Yo»? Vraiment?

19 h 36

Félix (en ligne): Les parents t'ont annoncé la nouvelle?

19 h 37

Léa (en ligne): Non, quoi?? Papa a perdu son emploi et on rentre enfin chez nous? ☺

19 h 37

Félix (en ligne): Ben non, tache! J'ai été accepté au Collège Saint-Denis! Dans trois mois, c'est «bebye» le secondaire, et bonjour le cégep, les *chicks* et les partys.

19 h 38

Léa (en ligne): Félicitations! Je vois que tes priorités sont à la bonne place!

19 h 38

Félix (en ligne) : Vas-tu t'ennuyer de moi ?

19 h 36

Léa (en ligne) : De l'attention que tu attires et qui se reflète sur moi : non. De ta popularité qui me rend un peu moins rejet : oui.

19 h 37

Félix (en ligne) : Wow, venant de toi, je vois ça comme une preuve d'amour. Je suis ému !

19 h 37

Léa (en ligne) : Est-ce que c'est tout ? J'ai mon article pour le journal à terminer...

19 h 38

Félix (en ligne) : Penses-tu que Katherine va m'accompagner à mon bal ?

19 h 38

Léa (en ligne): Pour l'instant, je dirais non, étant donné qu'elle t'en veut encore et qu'elle se sent humiliée. Mais on est juste en mars... Tu peux garder espoir. C'est sûr que ton attitude «d'ami pas collant et pas gossant qui la fuit tout le temps» n'a pas vraiment porté ses fruits jusqu'à maintenant...

19 h 39

Félix (en ligne): Mouais... Mais j'ai un plan!

19 h 39

Léa (en ligne): C'est quoi ton plan?

Éloi vient de se joindre à la conversation

19 h 40

Félix (en ligne): C'est lui, mon plan!

19 h 40

Léa (en ligne): Hein?

19 h 41

Éloi (en ligne): Ouin... Ton frère s'est mis dans la tête de te convaincre d'organiser une sortie à quatre «impromptue» avec Katherine pour qu'il puisse se rapprocher d'elle et l'inviter.

19 h 42

Félix (en ligne): ☺

19 h 42

Léa (en ligne): Et pourquoi tu passes par mon chum pour essayer de me convaincre?

19 h 43

Félix (en ligne): Parce que je sais que si je te le demande, tu vas me dire non, mais que tu ne peux pas résister à son regard de félin, ni à sa bouche en cœur...

19 h 44

Éloi (en ligne): *Dude!*

19 h 44

Félix (en ligne): Lol! Excuse-moi, *bro*! Je me suis laissé emporter.

19 h 45

Léa (en ligne): La réponse reste non. Je ne veux pas faire ça à mon amie. Si elle a envie de te voir, elle va te le dire. Il est hors de question que je m'en mêle ! Je ne vais pas risquer notre amitié pour ça. T'avais juste à pas la tromper !

19 h 47

Félix (en ligne): Et si en échange, je te promettais de te laisser entrer dans mes partys de cégep, et peut-être même de te fournir une fausse carte d'identité ?

19 h 48

Éloi (en ligne): Léa, dis oui !!!!!!!!!

19 h 48

Léa (en ligne): Vous êtes vraiment gossants ! NON, bon !

19 h 49

Félix (en ligne): Pfff ! T'es poche ! *Bye* d'abord !

Félix vient de quitter la conversation

19 h 49

Éloi (en ligne) : Il est fâché, tu penses ?

19 h 49

Léa (en ligne) : Ben non. Il fait semblant. C'est du chantage émotif, mais ça ne marchera pas.

19 h 50

Éloi (en ligne) : Il me semble que ce ne serait pas si grave d'organiser une soirée tous les quatre ensemble…

19 h 50

Léa (en ligne) : C'est grave si je sais pertinemment que Katherine n'a pas envie de le voir et que j'organise quelque chose dans son dos. Ça ne se fait pas, Éloi !

19 h 51

Éloi (en ligne) : OK, fâche-toi pas… Je faisais juste une suggestion.

19 h 52

Léa (en ligne): Je ne me fâche pas. Pourquoi tu penses toujours que je me fâche? Tu as dit la même chose ce midi pendant la réunion du journal parce que je n'étais pas d'accord avec le point de vue d'Éric. J'avais *full* honte que tu dises ça devant tout le monde!

19 h 53

Éloi (en ligne): Euh... Je te l'ai dit tout bas, Léa. Personne n'a compris. C'est toi qui es *full* sensible, cette semaine. On dirait que tu cherches la chicane.

19 h 53

Léa (en ligne): Tellement pas! C'est toi qui me trouves «trop compliquée»!

19 h 54

Éloi (en ligne): Hein? Je n'ai jamais dit ça!

19 h 54

Léa (en ligne): Ben, samedi soir, je t'ai demandé si des fois, tu me trouvais trop compliquée, et tu n'as pas nié. Tu m'as souri. Ça veut dire oui, mais de façon cachée.

19 h 54

Éloi (en ligne): Léa! On écoutait un film que tu as interrompu pour me parler de la façon dont tu cherchais à compliquer les situations, et tu as conclu en me disant: «C'est vrai que des fois, je me complique la vie.»

19 h 55

Léa (en ligne): Oui, mais t'as rien répondu. Tu ne l'as pas nié!

19 h 55

Éloi (en ligne): Donc si je comprends bien, tu as interrompu le film pour me faire part d'une constatation que tu avais faite sur toi-même, dans l'espoir que je comprenne que c'était un message, ou plutôt une question cachée à laquelle je devais répondre «Non, tu n'es pas compliquée»?

19 h 56

Léa (en ligne): Ben là, dit comme ça, on dirait que je suis folle !

19 h 57

Éloi (en ligne): Ou que tu es une fille qui se complique la vie ? ;)

19 h 58

Léa (en ligne): Peut-être un peu... ☹ Je m'excuse, je ne sais pas ce que j'ai, cette semaine.

19 h 58

Éloi (en ligne): Je te pardonne. ;) Je dois aller étudier pour mon exam de demain, mais est-ce que ça va mieux ?

19 h 59

Léa (en ligne): Oui, ça va aller... ☺ Je me sens moins folle que tantôt ! Je t'aime ! Bonne nuit et à demain ! xx

19 h 59

Éloi (en ligne): Bonne nuit ! ☺ xx

À : Léa_jaime@mail.com
De : Marilou33@mail.com
Date : Jeudi 20 mars, 21 h 11
Objet : OK, je respire par le nez

OK ! J'accepte de respirer par le nez avec mon histoire de broches. Hier soir, j'ai réussi à aplatir un trombone pour le mettre dans ma bouche et voir de quoi j'aurais l'air. J'avoue que le résultat n'était pas si terrible. Le problème, c'est que j'étais en train de me regarder dans le miroir en mimant différentes expressions quand mon petit frère est entré dans ma chambre sans frapper. Il m'a dévisagé et j'ai vu l'incompréhension dans ses yeux. « Qu'est-ce que ma grande sœur, que je trouve relativement cool à ses heures, fait avec un trombone dans la bouche ? Et pourquoi se regarde-t-elle dans le miroir en faisant semblant d'être sexy ? Peut-être qu'au fond elle n'est pas aussi cool que je le pense. » Pour m'assurer qu'il oublierait cette histoire, je lui ai promis de lui acheter son jeu vidéo préféré et je lui ai offert deux barres de chocolat en cachette. Ce que je n'avais pas prévu, c'est que le chocolat en soirée lui causerait une surdose de sucre. Comme il était devenu insupportable et que je ne voulais pas que mes parents se rendent compte de ce que j'avais fait, je l'ai fait dormir dans ma chambre en faisant croire à ma mère que je voulais me rapprocher de lui. (Misère !) Elle m'a regardée d'un air ému, et elle est enfin allée se coucher.

Ce matin, mes « chers » parents m'ont d'ailleurs annoncé que je devrais me faire poser mes superbes broches dans une semaine. J'ai essayé de marchander avec eux pour attendre la fin de l'année scolaire, mais il n'y a rien à faire. Ils tiennent à m'humilier publiquement le plus vite possible !

Heureusement, JP n'a pas eu l'air trop traumatisé quand je lui ai annoncé que j'aurais bientôt l'air d'un chemin de fer. (C'est sûrement parce qu'il ne m'a pas vue avec un trombone dans la bouche. Lol !) Il a même essayé de me faire croire que ça m'irait bien, mais il y a des limites à tout ! Et j'ai fait promettre à Steph de me le dire si elle me voyait avec un morceau de légume coincé entre les dents ! Je compte aussi suivre ton conseil et me munir d'un miroir de poche pour éviter toute scène honteuse.

Pour célébrer ma dernière semaine de liberté dentaire, j'ai suggéré à Laurie et Steph d'organiser une petite fête en fin de semaine. Laurie s'est portée volontaire pour l'organiser chez elle, mais le problème, c'est qu'on sait d'avance que Sarah et Thomas seront là parce que Seb s'obstine à vouloir inviter ton ex dans tous les partys.

D'ailleurs, Steph m'a raconté que sa soirée chez Sarah avait été VRAIMENT bizarre. Premièrement, elle habite dans une super grande maison du nouveau quartier résidentiel près de l'école, alors qu'on l'imaginait plutôt vivre dans un refuge hippie ou dans un monastère.

Deuxièmement, quand JP et Steph sont arrivés, Thomas était déjà là et il était en train d'aider Sarah à préparer des trempettes ! OK, tu vas me dire que ça ne t'étonne pas que Sarah concocte des trucs à manger pour essayer d'amadouer ses « amis », mais peux-tu imaginer Thomas avec un tablier, toi ?

Troisièmement, il paraît que la chambre de Sarah est remplie d'attrapeurs de rêves et d'autres objets étranges qui sont censés « porter bonheur ». Pour une fille qui croit tellement aux trucs de voyance et de spiritualité, je trouve que ses chakras sont mal alignés ! Penses-tu que son ange gardien est possédé par le démon ?

Quatrièmement, Thomas et Sarah avaient loué un film romantique que Steph a plutôt aimé, mais sur lequel Seb s'est endormi ! C'est Thomas qui a dû le réveiller à la fin du film ! Voici la conversation telle qu'elle a été relatée par Steph :

Thomas : Hey, Seb ! Réveille ! Le film est fini ! Pourquoi tu t'es endormi ? Tu as mal dormi la nuit dernière ?
Seb : Euh... Non. Pour te dire la vérité, *man*, ce n'est pas trop mon genre de film. Et quand je trouve qu'un film

est plate, je m'endors. (En le niaisant.) D'ailleurs, je ne savais pas que vous aimiez les comédies romantiques, monsieur Raby.
Thomas (honteux) : Euh, pas tellement. C'est Sarah qui a insisté pour qu'on voie ce film-là !
Sarah : Ben oui ! Je me suis dit que ce serait bien d'alimenter votre sensibilité, les gars. Thomas a l'air d'un dur comme ça, mais au fond, c'est un grand sensible !
Seb et Steph : ...
Thomas (de plus en plus mal à l'aise) : Euh, rapport !

Il paraît qu'après la soirée, Seb capotait un peu. Il n'en revient pas que Thomas soit en train de devenir un « homme rose ». Il dit qu'il n'est pas comme ça quand il est seul avec JP et Seb, mais que dès qu'il est avec Sarah, il devient genre mièvre !

Je ne comprends pas pourquoi JP s'obstine à dire que « ce n'est pas une mauvaise chose » ! J'admets que je n'étais pas la plus grande *fan* de Thomas quand il avait de la misère à articuler une phrase complète pour exprimer ses sentiments, mais de là à l'imaginer concocter affectueusement ses trempettes tout en étant à l'écoute de ses sentiments (et de ses chakras), il y a des limites !

Comment tu vas, toi ? Est-ce que la journée s'est bien déroulée ? Tu ne me parles pas beaucoup des nunuches ces temps-ci... Est-ce que ça veut dire que la trêve se poursuit ?

Écris-moi !
Lou xox

À : Marilou33@mail.com
De : Léa_jaime@mail.com
Date : Vendredi 21 mars, 12 h 11
Objet : À mon tour d'avoir honte
1 pièce jointe : chroniquedeLéa.doc

En lisant ton courriel, j'avais l'impression que tu ne parlais pas vraiment de mon ex, mais plutôt d'un nouveau gars de l'école, une sorte de Whippet qui sort avec la fille la plus insupportable au monde. Bref, ça ne correspond pas au gars que j'ai croisé en sortant du party, ni à celui que j'ai aimé comme une folle... Je suis étonnée que quelqu'un puisse changer autant en si peu de temps, mais peut-être que ça lui fait du bien de pouvoir être plus tendre. Ça expliquerait pourquoi JP trouve que ce n'est pas une si mauvaise chose qu'il devienne plus sensible... Il le connaît bien, après tout !

En ce qui concerne Éloi, ça va plutôt bien. Le seul petit hic, c'est que j'ai remarqué que lorsqu'on jase de tout et de rien (comme avant), ça coule entre nous et on passe de super beaux moments ensemble, mais quand on essaie d'agir plus comme un couple, on n'est pas *full* naturels, et je n'arrive pas à savoir pourquoi. Par exemple, on a aucune difficulté à avoir des discussions enflammées sur les sujets qui nous tiennent à cœur, ni à rigoler ensemble, mais quand vient le temps d'organiser une activité de couple, genre quand il m'offre d'aller au Biodôme ou au Jardin botanique (Zzz), ça devient un peu... étrange.

Je ne veux pas lui en parler parce que j'ai bon espoir que ça se règle tout seul. Après tout, on a été amis, alors ça demande peut-être un petit ajustement avant d'être complètement à l'aise en tant que couple ?

Pour le reste, ton courriel m'a tellement fait rire ! Je n'en reviens pas que tu aies essayé de soudoyer ton petit frère en lui faisant manger du chocolat. Lol ! Pour ce qui est du trombone, j'aurais sans doute fait pareil ! Je trouve ça cool que tu aies pris le taureau par les cornes pour voir de quoi tu aurais l'air avec ça dans la bouche.

En ce qui concerne ton moment de honte, j'ai une mésaventure qui accote pas mal la tienne.

Tout a débuté quand j'ai croisé Marianne et Maude aux toilettes cet après-midi. Je peux d'ailleurs te confirmer que la trêve est officiellement terminée. Tout ça parce que j'ai osé essayer d'être gentille avec Maude ! Moi qui croyais que notre petit moment de complicité avant la relâche allait me permettre de mieux respirer !

Moi (un peu hésitante) : Salut, Maude. Ça va ? T'as passé une bonne semaine de relâche ? Je ne t'ai pas vraiment reparlé depuis, mais je me demandais si ça allait, ou si tu te sentais encore croche à cause de José...
Maude (en regardant Marianne comme si je venais de lui parler en chinois) : Pourquoi elle me parle ?
Marianne (en haussant les épaules et ricanant) : Je ne sais vraiment pas ! Peut-être qu'elle se cherche des amies ?
Moi : Euh, non... Je ne me cherche pas d'amies, et même si c'était le cas, je ne compterais pas sur vous pour ça ! Désolée, Maude. Je pensais que je pouvais prendre de tes nouvelles sans que tu sois froide et méchante avec moi, mais je vois que je me suis trompée. Mais si jamais tu veux des miennes, tu pourras lire ma nouvelle chronique dans le journal !

Je lui ai fait un clin d'œil et je suis sortie des toilettes. Oh ! J'étais tellement contente de ma réplique ! Tu sais, c'est le genre de truc que tu rêves de répondre ou que tu regrettes de ne pas avoir dit une fois que la discussion est terminée. J'ai bien vu sur son visage que j'avais visé juste ! Premièrement, je sais qu'elle est jalouse que j'aie ma propre chronique, et deuxièmement, après l'incident des horoscopes, elle a sûrement peur que je récidive en déclarant qu'elle a des poux ou des verrues plantaires ! Lol !

Quand je suis sortie des toilettes, je souriais et je sentais que j'avais le vent dans les voiles ! J'avais réussi à boucher ma nunuche préférée, et j'avais un chum qui m'aimait et qui me faisait des surprises. C'est là que j'ai remarqué que les gens me regardaient d'un air bizarre. Des filles de secondaire 2 se sont même mises à rire quand je suis passée devant elles. Je me suis regardée dans mon super miroir de poche (tu vois que c'est utile), mais je n'ai rien vu. Puis c'est une fille de secondaire 1 qui m'a finalement avertie que l'arrière de ma jupe était coincé dans ma culotte et dans mes bas collants, et que tout le monde me voyait... les fesses. J'étais écarlate. Je l'ai remerciée en replaçant ma jupe, puis j'ai remarqué que ma culotte du jour avait des motifs d'oursons, et que mes bas n'étaient pas assez opaques pour les cacher. Je me suis alors mise à compter le nombre de personnes qui avaient pu se moquer de moi en m'observant le postérieur. La bonne nouvelle, c'est qu'aucune nunuche n'a été témoin de ma mésaventure, mais la mauvaise, c'est que la moitié des élèves de secondaire 1 à 3 savent que je porte (parfois) des culottes avec des motifs d'ourson.

En tout cas, mon altercation avec Maude (suivie de la honte de ma vie) m'a inspiré la fin de ma chronique, que je t'envoie en pièce jointe. Tu me diras ce que tu en penses. Je t'avertis, c'est plutôt direct, comme message ! On dirait que c'est tellement plus facile d'écrire ce que je ressens que de l'exprimer en paroles. Je te laisse lire !

On se parle plus tard !
Léa xox

Pièce jointe :

La chronique de Léa

Quand l'équipe du journal m'a offert d'écrire ma propre chronique dans les prochains numéros, j'étais folle de joie ! Je pouvais enfin m'exprimer sur les sujets de mon choix et donner mon opinion sans avoir à me censurer...

Le problème, c'est qu'au moment de choisir le thème de ma première chronique, la peur s'est emparée de moi. « Et si les gens n'aimaient pas ça ? » ; « Et si je me faisais juger parce que je pense différemment ? » ; « Et si les autres trouvaient que finalement, j'écris mal ? ». Dans la même semaine, ma meilleure amie m'a appris qu'elle devrait porter des broches, et que l'idée de ressembler à « un chemin de fer » pendant dix-huit mois lui donnait presque le goût de changer d'école. Elle s'est mise, elle aussi, à se poser toutes sortes de questions : « Et si mon chum ne me trouvait plus belle ? » ; « Et si je n'arrivais plus à l'embrasser ? » ; « Et si je m'humiliais en passant la journée avec un morceau de brocoli entre les dents ? » C'est alors que j'ai su de quoi je voulais parler dans ma première chronique. En l'espace de quelques jours, elle et moi avions été assaillies de doutes et nous avions eu peur du jugement des autres. Aujourd'hui, j'ai envie de vous dire que j'en ai assez de sentir ma liberté brimée par l'image que les autres pourraient se faire de moi.

Tout le monde a peur du ridicule, et tout le monde a peur de se faire humilier. Que ce soit parce que vous êtes nuls en anglais, parce que vous n'avez aucun sens de l'orientation, parce que votre jupe se coince dans votre culotte ou parce que la gang de filles populaires de votre niveau n'arrête pas de vous embêter juste pour se faire valoir, vous n'avez pas envie de sentir que vous êtes différents et qu'on se moque de vous. Peut-être que si on s'acceptait tous dans nos différences, avec nos broches, nos accents poches en anglais et nos vêtements démodés, la vie serait plus facile et le secondaire serait moins pénible ? ! ?

C'est un pensez-y-bien.

Léa Olivier

Le Blogue de Manu

Inscris un titre: Transition d'amitié à amour

Écris ton problème: Salut, Manu! Je sais que je te bombarde de questions ces temps-ci, mais j'ai vraiment besoin de ton aide, et j'espère qu'à force de t'écrire, tu décideras de publier l'une de mes questions.

La dernière fois que je t'ai écrit, je t'ai demandé si j'étais normale de me poser autant de questions sur l'amour, et les choses ne se sont pas vraiment clarifiées depuis. On dirait que, des fois, je ne me sens pas super naturelle avec Éloi. On a été de bons amis avant de sortir ensemble, alors je suis habituée à lui parler comme à un copain, et des fois, j'ai besoin de réfléchir avant d'agir en tant que blonde. Ça provoque des moments un peu étranges, et je pense qu'il commence à me prendre pour une folle. Au début de notre relation, on était super proches et on était vraiment complices, mais là, on dirait qu'on s'éloigne. Est-ce c'est normal de me sentir moins proche de lui depuis qu'il est mon amoureux?

Merci de me répondre!
Léa xox

Manu répond à deux questions par semaine. Tu seras peut-être choisie...

Chapitre 3
Vive le vent

Samedi 22 mars

13 h 13

Marilou (en ligne): Léa ! T'es là ?

13 h 14

Léa (en ligne): Oui ! Je finis de me préparer ! Je dois rejoindre Éloi au métro dans quarante-cinq minutes. Il m'a préparé une autre surprise ! J'espère que ça va bien se passer…

13 h 14

Marilou (en ligne): Comment ça ? Tu te sens encore bizarre quand vous êtes en mode « couple » ?

13 h 14

Léa (en ligne): Ouais… Et j'ai un peu l'impression de marcher sur des œufs cette semaine.

13 h 15

Marilou (en ligne): J'ai pensé à ça et peut-être que tu veux tellement que ça marche entre vous que tu te poses trop de questions ! C'est normal de ressentir un malaise quand il te propose d'aller au Jardin botanique ! Moi non plus, je ne triperais pas d'aller observer des plantes avec mon chum !

13 h 16

Léa (en ligne) : Lol ! Une carrière en psychologie, ça te tente ?

13 h 17

Marilou (en ligne) : Sans blague, avoue que c'est logique ! Comme tu ne veux pas le perdre, tu essaies d'agir en blonde exemplaire et tu réfléchis à chacun de tes gestes. Je pense que si tu étais un peu plus naturelle avec lui, tu verrais qu'il t'aime autant, tu te sentirais rassurée et les choses s'arrangeraient entre vous deux.

13 h 19

Léa (en ligne) : Tu as raison. Je vais opter pour cette attitude-là aujourd'hui. En plus, j'ai plein de nouveau linge à porter ! Hier, comme j'étais déprimée par le fait de ne plus entrer dans mes *skinny*, ma mère m'a proposé d'aller magasiner, et ça a marché, j'ai retrouvé le sourire !

13 h 20

Marilou (en ligne) : Cool ! Ton père n'a pas trop capoté ? Il me semble qu'il est devenu un peu « grano » à propos de la consommation de masse, non ?

13 h 23

Léa (en ligne): Mets-en! Quand nous sommes rentrées et que mon père a vu tous les sacs, il nous a fait un sermon sur le problème de la surconsommation et sur le fait que nous étions des victimes de la mode (rapport). Ma mère et moi l'avons amadoué en lui préparant un spaghetti sauce tomate (étrangement son plat réconfortant préféré) et en écoutant un documentaire sur la Rome antique (sa nouvelle passion). C'était vraiment plate, mais ma mère me suppliait des yeux pour ne pas que je l'abandonne. Elle m'avait promis que dès qu'il se serait endormi (environ douze minutes après le début de son documentaire plate), on pourrait changer de poste pour voir la comédie qu'on avait vraiment envie de voir. Son plan a fonctionné: mon père s'est adouci en mangeant ses pâtes, puis il s'est endormi sur son documentaire exactement onze minutes après le début, ce qui nous a permis d'écouter ce qu'on voulait en mangeant du popcorn.

13 h 24

Marilou (en ligne): Trop drôle! T'es tellement chanceuse de t'entendre aussi bien avec ta mère!

13 h 25

Léa (en ligne) : Ben, elle m'énerve quand même à ses heures ! ;) Et même si je sais que ce n'est très cool de passer mon vendredi soir avec ma mère, c'est vraiment ce que j'avais envie de faire en ce moment. On dirait qu'il n'y a que chez moi où je me sens complètement moi-même. (Il ne faudrait surtout pas que les nunuches apprennent ça, car elles ne tarderaient pas à coller des affiches de moi partout dans l'école pour déclarer que je passe mes vendredis soir avec ma mère et que j'ai atteint le niveau le plus bas de *loser* qui existe !)

13 h 26

Marilou (en ligne) : Je te trouve quand même chanceuse de pouvoir être aussi proche d'elle.

13 h 26

Léa (en ligne) : Ouais, c'est vrai que c'est cool !

13 h 27

Marilou (en ligne): En passant, j'ai trouvé ta chronique vraiment *hot*! (Même si tu parles de mes broches à toute ton école! Lol!) Et j'ai aussi vraiment ri en lisant ton histoire de jupe coincée dans tes culottes. Avec mon trombone et ta culotte à oursons, on forme vraiment une belle équipe de championnes!;)

13 h 27

Léa (en ligne): Ha, ha! J'ai pensé la même chose. On fait pitié, Lou! Et ton party?

13 h 29

Marilou (en ligne): C'est ce soir. J'ai promis à Steph et Laurie d'aller les aider à décorer et à tout préparer. Les parents de Laurie n'étaient pas *full* contents quand elle leur a annoncé qu'elle invitait des amis, mais sa grande sœur a accepté de rester au sous-sol pour nous surveiller, alors ils se sont calmés. Ce sera la première fois que je vais voir Sarah et Thomas en action depuis ton départ, alors je te promets les détails croustillants!;)

13 h 31

Léa (en ligne): Merci ! Je dois y aller, car Éloi va m'attendre. Si j'opte pour une nouvelle paire de *skinny* genre gris foncé avec un chandail de laine long orangé, tu approuves ? Attends, je t'envoie une photo !

13 h 32

Marilou (en ligne): T'es belle ! J'approuve à 100 % ! Amuse-toi avec Éloi, et arrête de te poser des questions !!

13 h 32

Léa (en ligne): Je te promets d'essayer ! Donne-moi des nouvelles plus tard pour me raconter ton party ! xxx

À : Léa_jaime@mail.com
De : Katherinepoupoune@mail.com
Date : Dimanche 23 mars, 10 h 01
Objet : Félix

Salut, Léa,
J'espère que tu passes une super belle fin de semaine ! Moi, ça va moyen. Vendredi soir, je suis allée chez Maude avec Marianne et Lydia (Maude ne voulait pas inviter Sophie, parce qu'elle lui en veut encore d'être tombée amoureuse de José), et Maude nous a appris qu'elle voulait sortir avec un gars pour rendre José jaloux. Elle dit que la nouvelle blonde de José (elle ne va pas à notre école, mais il l'a rencontrée par un ami d'Alex) n'est pas super *cute*, et qu'elle a envie de montrer à José qu'il a fait une erreur en se promenant bras dessus, bras dessous avec le plus beau gars de l'école, de préférence plus vieux que nous.

Ensuite, elle s'est tournée vers moi.

Maude : Dis donc, Katherine... Je sais que ta rupture avec Félix est assez récente, et que c'est encore un peu compliqué entre vous deux, mais est-ce que ça te dérangerait que je « l'utilise » pour rendre José jaloux ?
Moi : Qu'est-ce que tu veux dire par « utiliser » ?
Maude : Ben, genre que je le *cruise* un peu, et que je passe du temps avec lui à l'école pour que José pense qu'il y a quelque chose entre nous et qu'il soit jaloux ?

Moi : Euh... Ben, j'avoue que ça me dérange un peu.
Lydia : Ben là ! Tu ne sors même plus avec lui !
Moi : Ça ne veut pas dire que je ne le *luv* plus ! Et ce n'est pas un objet que tu peux utiliser !
Maude : Ben là, je t'ai quand même demandé la permission avant. Il me semble que tu pourrais faire ça pour moi. En plus, je sais que ça mettrait Léa en colère.
Marianne : Ah ! Mets-en ! Ça va être drôle !
Katherine : Moi, je ne trouve pas ça drôle ! Et pourquoi vous vous acharnez tellement sur Léa ? Elle est super fine, cette fille-là !
Lydia : Non, elle a volé la place de Maude au journal.
Marianne : Et en plus, elle sort avec ton ex. Ça ne te dérange pas ?
Moi : Ben là ! Éloi, c'est de l'histoire ancienne. Et je trouve que vous êtes mal placées pour parler ! Vous encouragez Maude à sortir avec le gars que j'aime encore. Avec des amies comme vous, pas besoin d'ennemies !
Maude : Relaxe, Katherine ! Si ça te dérange tant que ça, je le *cruiserai* pas, ton Félix !

Je peux te dire qu'après ça, ça ne me tentait pas vraiment de rester avec elles. J'ai demandé à ma mère de venir me chercher et j'ai *full* mal dormi. Le fait que Maude pense à mettre le grappin sur Félix pour rendre José jaloux me blesse vraiment (ça prouve qu'elle ne pense qu'à elle quand il est question de José), et l'image de Maude et Félix qui s'embrassent me rend carrément malade ! Le problème, c'est que je ne veux pas non plus revenir avec lui juste pour éviter qu'il sorte avec une autre fille !! C'est bien compliqué, les histoires d'amour !

Et toi, ta soirée avec Éloi ? Ça s'est bien passé ? As-tu envie qu'on dîne ensemble demain ? On pourrait aller au restaurant ? Je n'ai vraiment pas envie de voir Maude en ce moment.

Luv,
Katherine

À : Katherinepoupoune@mail.com
De : Léa_jaime@mail.com
Date : Dimanche 23 mars, 17 h 21
Objet : RE : Félix

ARGH ! Je suis tellement en colère ! Qu'elles s'attaquent à moi, passe encore (ce ne sont pas mes amies), mais qu'elles essaient de te convaincre que c'est « correct » de cruiser Félix pour rendre José jaloux, alors qu'elles savent très bien que la rupture a été difficile pour toi, je n'en reviens pas ! Et si elles espèrent me fâcher en utilisant mon frère... eh bien... elles ont raison ! Si je voyais Félix au bras de Maude, je pense que je sauterais littéralement ma coche ! Lol ! Je vais garder l'œil ouvert, tu peux compter sur moi !

Si ça peut te rassurer, je sais pertinemment que Félix ne t'a pas oubliée. Je sais qu'il a l'air d'un grand charmeur et que les filles courent toutes après lui, mais il n'est pas assez niaiseux pour succomber aux charmes de Maude. Surtout pas après tout ce qu'elle m'a fait subir depuis le début de l'année !!

Aucun problème pour demain ! J'ai déjà remis mon article pour le journal, alors je suis libre comme l'air pour dîner. Ça va nous faire du bien de sortir de l'école ! ;)

À demain !
Léa xox

À : Marilou33@mail.com
De : Léa_jaime@mail.com
Date : Lundi 24 mars, 18 h 01
Objet : ARGH !

Salut, toi !
Tout d'abord, je tiens à dire que j'attends encore les détails du party de samedi. Ton « j'ai tellement de choses à te raconter » que tu as laissé dans ma messagerie Skype n'a fait qu'attiser encore plus ma curiosité ! Je sais que tu as ton entraînement de natation ce soir, mais écris-moi dès que tu peux !

De mon côté, j'ai aussi plusieurs choses à te dire. Premièrement, Katherine m'a raconté que Maude voulait essayer de séduire mon frère pour rendre José jaloux, ce qui blesse vraiment Katherine, parce qu'elle l'aime encore et qu'elle ne se doutait pas que les nunuches pouvaient être aussi méchantes (mettons que moi, ça fait longtemps que j'avais allumé). En plus, il paraît que Maude veut faire ça en partie pour m'embêter, et tu sais à quel point je ne tolérerai JAMAIS que mon frère fréquente la reine des nunuches. Hors de question que je la laisse faire ! Même si Félix est complètement subjugué par son plan « je reconquiers Katherine », j'ai peur qu'il se laisse prendre au jeu. J'ai beau être encourageante avec Katherine, je sais que Maude est le diable incarné, et je sais qu'elle a plus d'un tour dans son sac ! En tout cas, tu peux être certaine que je ne regrette pas d'avoir fait mention de sa « gentillesse » légendaire dans ma chronique. Lol ! Éric m'a dit que je n'y étais pas allée de main morte, mais qu'il publierait mon article tel quel parce qu'il est curieux de voir la réaction des gens. Le journal sort vendredi, alors je te tiendrai au courant.

Passons maintenant aux choses sérieuses : ma journée avec Éloi a été plutôt... hum... bizarre. Je l'ai rejoint au métro comme prévu, mais il a insisté pour qu'on marche jusqu'au parc où il voulait m'emmener. Autant je trouve ça *cute* qu'il me prépare des surprises, autant je ne suis pas la plus grande *fan* des balades en ville quand il fait à peu près -1000 °C avec le vent. Je ne me suis pas gênée pour lui en faire la remarque, et c'est là que ça s'est un peu gâté.

Moi : Est-ce qu'on doit vraiment marcher ? J'ai mis mes nouvelles bottes et je ne suis pas encore *full* habituée. En plus, je n'ai pas trop envie de les abîmer...
Éloi (en me regardant comme si je venais de dire la chose la plus absurde au monde) : Ben voyons ! Il faut que tu les uses si tu veux être à l'aise dedans !
Moi : Oui, mais elles sont neuves ! En fait, je ne sais pas si tu as remarqué, mais je suis habillée tout en neuf.
Éloi : Non, je n'avais pas remarqué.
Moi (en devenant un peu irritée) : OK, mais est-ce qu'on peut y aller en métro, s'il te plaît ?
Éloi : *Come on*, Léa ! T'es capable de marcher un peu ! En plus, ça va te permettre de te pratiquer pour les randonnées qu'on va faire cet été.
Moi : Les... randonnées ?
Éloi : Ben oui ! Tu sais à quel point j'aime la nature ! J'adore me promener en montagne. Je ne peux pas survivre sans les randonnées, et j'aimerais ça que tu partages ma passion.
Moi : C'est drôle ! Je ne savais pas que tu avais une passion pour la randonnée, ni qu'un grand sportif se cachait en toi...
Lui (en souriant) : Il y a beaucoup de choses que tu ne connais pas sur moi !

Moi (en le regardant d'un air inquiet) : Ah oui ? Genre quoi ? Si tu me dis que tu raffoles du tofu, j'abandonne. Tu sais, le tofu, j'aimerais ça aimer ça, mais je n'y arrive pas.
Lui : J'aime le tofu, mais je pense qu'on pourra survivre même si tu n'en manges pas.
Moi (en grelottant) : Aimes-tu le froid ?
Lui : Non, mais en ce moment, je ne trouve pas qu'il fait froid.
Moi : Quoi ? Il fait genre -40 °C.
Lui : Relaxe, Léa ! Il fait 5 °C. Tu vas survivre.
Moi (impatiente) : Est-ce que c'est encore loin ?
Lui (un peu irrité) : Non, mais si tu continues avec tes questions, tu vas gâcher ma surprise !

J'ai donc décidé de me taire. Il me semble qu'il y a trois semaines, c'était plus le fun de se promener dehors. Est-ce c'est moi qui suis de mauvaise foi ?

On est finalement arrivés dans un immense parc. Je connais pas encore assez la ville pour te dire où c'était, ni ce qu'il y avait de si spécial. J'imagine que l'été, ça doit être joli parce qu'il y a plein d'arbres et un grand lac avec un petit ruisseau qui sillonne le parc. Il y a un sentier et un petit pont qui permet de passer par-dessus le ruisseau et de se balader parmi les arbres. Le problème, c'est qu'on est en mars, et qu'il n'y a pas de feuilles dans les arbres. Le « lac » et le ruisseau sont asséchés et il y a plein de déchets au fond. Rien de bien romantique, surtout qu'il faisait gris et froid. J'ai pensé lui dire, mais j'ai eu la bonne idée de me taire. Je me suis dit qu'il n'apprécierait peut-être pas mon sarcasme.

Moi (en souriant de toutes mes forces) : C'est... beau !
Lui : Avoue, hein ?
Moi : ... (NON !)
Lui : C'est encore plus beau l'été ! C'est un autre des endroits où j'aime me réfugier quand j'ai le goût d'être tout seul ou quand je ne me sens pas super bien. Tu n'as pas des endroits comme ça, toi aussi ?
Moi : Euh... Ben, y a ma chambre ou mon salon. Sinon j'avoue que j'aime magasiner, ou écrire à Marilou ou me confier à des gens quand je ne me sens pas bien.
Lui (songeur) : Hum... Viens ici !

Il m'a attirée vers lui et m'a prise dans ses bras. Ça m'a calmée un peu. J'avoue que je n'avais pas imaginé que notre journée de couple allait se dérouler dans un parc à -1000 °C.

Lui : On est bien, non ?
Moi : Mouais... Mais si on pouvait éteindre le vent, on serait mieux.

Il a ri un peu et m'a serrée plus fort.

Lui : OK, c'est bon. Je comprends que tu n'es pas trop une fille d'extérieur. On pourrait aller chez moi, mais

mes parents ont invité des amis, alors on serait pognés pour passer le reste de la journée avec eux. Sinon, il y a Alex qui m'a dit que Jeanne allait chez lui aujourd'hui, et qu'ils allaient sûrement jouer à la Wii... Mais ce n'est pas *full* romantique, et on ne serait pas seuls.
Moi : Jeanne est chez Alex ? Penses-tu... qu'il pourrait y avoir quelque chose entre eux ? Jeanne ne m'en a pas parlé, mais je ne sais pas si elle oserait, avec ce qui est arrivé entre Alex et moi...
Lui : Je ne sais pas. Je pense qu'Alex l'aime bien, mais tu connais Jeanne... Elle n'est pas facile à lire, et elle ne veut pas de chum.

On a finalement décidé d'aller les rejoindre. J'avais envie de jouer à la Wii. À première vue, il n'y avait rien de louche, et je dois t'avouer que ça me ferait bizarre qu'elle sorte avec Alex. Je sais que c'est moi qui ai « cassé » avec lui, que j'ai un nouveau chum et qu'ils ont le droit de faire ce qu'ils veulent... Mais je me sens bizarre pareil. Est-ce que ça fait de moi un monstre ? Est-ce que tu penses que je devrais en parler à Jeanne pour savoir si elle éprouve des sentiments pour lui ? Je veux quand même qu'elle se sente à l'aise de se confier à moi !

Donne-moi des nouvelles !
Léa xox

À : Léa_jaime@mail.com
De : Marilou33@mail.com
Date : Jeudi 27 mars, 8 h 11
Objet : Si je t'écris à 8 h, est-ce que tu me pardonnes ?

Je sais ! Je suis POCHE ! J'ai eu tes messages, et j'ai voulu t'appeler ou t'écrire toute la semaine, mais ça a été la folie, ici ! J'ai eu trois entraînements de natation en prévision de la compétition de la semaine prochaine, et quand je n'étais pas à la piscine, je devais être ici pour m'occuper de mon petit frère. ☹

Et ce matin, je dois me rendre chez l'orthodontiste pour me faire poser mes broches. ☹ ☹ ☹ Au moins, ça me permet de rater l'école et de pouvoir t'écrire rapidement avant d'aller à mon rendez-vous.

Les grandes lignes de samedi :

Thomas et Sarah ont passé la soirée à parler seuls dans un coin. Je pense que Thomas était intimidé par ma présence. À la fin, il a osé venir me voir pour me demander comment tu allais. Je lui ai répondu que ce n'était pas de ses affaires et de s'occuper de ses propres chakras. Il n'a pas eu l'air de comprendre mon allusion !
En soirée, JP m'a dit qu'il trouvait que son *best* (Thomas) avait l'air plus heureux qu'avant. Je l'ai engueulé et je lui ai dit que moi, je trouvais qu'il avait

l'air plus heureux avec toi. On s'est boudés le reste de la soirée.
Le chum de Laurie est venu faire un tour, mais comme il ne connaissait personne, il est parti dix minutes plus tard. Laurie nous a alors annoncé qu'elle voulait casser avec lui parce qu'elle trouve qu'ils n'ont rien en commun et supposément qu'il *frenche* mal.
Comme j'étais tannée de voir la face de Sarah se coller contre celle de Thomas et que JP me tapait sur les nerfs, je suis rentrée chez moi à 21 h avec Steph, qui a dormi chez moi. Très moyen comme fête.

Pour en revenir à tes questions, oui, je pense que tu pourrais parler à Jeanne pour lui dire que c'est correct qu'elle ait un *kick* sur Alex et qu'elle peut t'en parler, et non, je ne crois pas que tu puisses être jalouse. Comme tu dis, tu as cassé avec lui, et tu sors avec Éloi maintenant. Alex n'a rien dit quand tu as commencé à sortir avec son ami, alors tu dois faire comme lui ! Je sais que c'est dur pour l'orgueil, mais je te fais confiance. Il est toutefois hors de question que ton frère se fasse cruiser par Maude. Je t'autorise à intervenir ! Pour ce qui est de ta journée au parc, j'ai pleuré de rire en lisant ta description. Pauvre Éloi, il essaie fort, mais il ne te connaît pas encore super bien ! ;)

Je dois déjà filer, mais je t'appelle ce soir pour te raconter mon expérience traumatisante chez l'ortho.
Lou xox

À : Marilou33@mail.com
De : Léa_jaime@mail.com
Date : Samedi 29 mars, 11 h 45
Objet : T'es belle !

Je sais que tu es encore traumatisée par tes broches, mais je te jure que ça te va bien, et que tu es super belle. Je dirais même que ça met ta bouche en valeur ! Avant que tu me sautes au cou et que tu voie ça comme une insulte, laisse-moi t'expliquer. Tu sais à quel point je n'ai pas beaucoup de lèvres (genre que c'est impossible pour moi de me mettre du rouge à lèvres). Tu sais aussi que j'ai toujours trouvé que tu avais de la chance d'avoir des lèvres pulpeuses parce que ça te permettait d'utiliser toutes les teintes de *gloss* inimaginables ! Eh bien, je trouve que les broches ont le don de mettre cet atout en valeur. Je sais que ça fait mal et que c'est inconfortable, mais j'ai lu sur des sites Internet (Oui, j'ai occupé mon vendredi soir à faire des recherches sur les broches... Bienvenue dans ma vie !) qu'on finissait par s'habituer, et que ça devenait de moins en moins pire.

Est-ce que JP a réussi à te remonter le moral hier ? Est-ce que vous êtes allés voir *Hunger Games*, finalement ? Si oui, tu m'expliqueras ce que je n'ai pas compris ! Lol !

De mon côté, le journal est paru hier, et évidemment, ma chronique n'est pas passée inaperçue. J'ai remarqué que plusieurs élèves feuilletaient le journal pendant l'heure du dîner (Éric est très content de sa nouvelle popularité, et il croit que les réactions que j'ai provoquées avec mes horoscopes ont un lien avec ça ! Youpi !), et j'ai été surprise que plusieurs viennent me féliciter par la suite. « C'est cool, ton article ! » m'a dit une fille de secondaire 4 à qui je n'avais jamais parlé. « *Good job*, la nouvelle », m'a dit Alex en me faisant un clin d'œil. (Toujours aussi craquant d'ailleurs. Je pense que je vais toujours le trouver *cute*, ce gars-là !) « Bravo, Léa ! Ton article est super inspirant », a ajouté Annie-Claude quand je l'ai rejointe au local du journal. J'étais tellement contente ! Évidemment, les nunuches n'étaient pas du même avis, et elles ne se sont pas gênées pour me le faire savoir. Après l'école, Maude est arrivée à ma case, suivie de près par Marianne et Lydia.

Maude : T'as décidé de me déclarer la guerre ?
Moi : En fait, j'ai essayé d'être gentille avec toi, et tu m'as humiliée devant ton amie, alors je dirais plutôt que c'est toi qui es bouchée. Je ne cherche pas à me faire des ennemies, Maude. En fait, j'ai même cru qu'on pourrait bien s'entendre toutes les deux, mais j'ai vite compris que c'était impossible.
Maude (En renvoyant ses boucles blondes vers l'arrière d'un geste dramatique. Elle m'énerve avec ses cheveux parfaits. Sais-tu à qui elle me fait penser ? À Naomi, dans *90210* !) : En effet, ça ne m'intéresse pas d'être

amie avec toi. Surtout quand je vois que tu utilises ta petite chronique pour te venger.
Marianne : Penses-tu vraiment que les gens vont arrêter de nous trouver cool parce que tu trouves ça « injuste » ? Ha ! T'es tellement naïve.
Lydia (en restant un peu en retrait et en haussant la voix) : Ouin ! T'sais ! (Quels arguments convaincants ! Lol !)
Moi : Écoute, Maude ! (J'ai pris soin de m'adresser seulement à elle sans jeter un coup d'œil à ses disciples. Je me suis dit que si je leur donnais de l'importance, ça n'aiderait pas les choses.) Je ne cherche pas la guerre. Je comprends qu'on ne sera jamais des amies et que tu ne me portes pas dans ton cœur, mais je pense qu'on peut chacune mener notre vie sans jouer dans les platebandes de l'autre et sans se rendre la vie impossible.
Maude (en se rapprochant de moi) : Ça, c'est ce que tu penses !

Félix est arrivé à ce moment-là et nous a interrompues. D'habitude, il ne met jamais les pieds dans mon aile, mais apparemment, toutes les raisons sont bonnes pour tomber sur Katherine « accidentellement ».

Félix (d'un ton léger et charmeur, comme lui seul en est capable) : Salut, les filles ! Maude, est-ce que tu es encore en train de faire la vie dure à ma sœur ?

Maude (en clignant des yeux comme une vraie nunuche et en changeant complètement d'attitude) : FÉ-LIX !! Je suis tellement contente de te voir !
Moi : Wow, je ne savais pas que vous étiez de si bons amis.
Maude (en mettant sa main sur le torse de Félix et en prenant une petite voix faussement innocente) : Ben voyons ! Félix et moi, on s'entend super bien. Il est tellement charmant, c'est dur de résister ! D'ailleurs, avez-vous les mêmes parents ?

J'ai serré les poings et je m'apprêtais à lui sauter à la gorge quand mon frère est intervenu. Il a passé un bras autour de nos épaules, comme si on formait un trio d'enfer.

Félix : Ben voyons, les filles ! Pas besoin de s'engueuler comme ça.
Maude : T'as raison, Félix ! J'ai mieux à faire que de m'obstiner avec ta sœur. J'étais d'ailleurs en train de lui proposer de faire la paix, mais on dirait qu'elle ne veut rien entendre !
Moi : AH ! T'es tellement hypocrite ! C'est MOI qui t'ai proposé de faire la paix ! Félix ! *Come on !* Tu me connais !
Félix : Je ne veux pas me mêler de vos chicanes, les filles ! Léa, je venais juste voir si tu avais besoin d'un *lift* jusqu'à la maison.
Moi : C'est gentil, mais je rentre avec Éloi.

Félix : Hum ! OK, d'abord. Et... Hum... Katherine ne serait pas dans le coin, par hasard ?
Maude (en répondant à ma place) : Non ! Elle est déjà partie. Elle allait rejoindre un gars, je pense.
Moi : Ce n'est même pas vrai ! Elle est allée chez le médecin.
Maude : Bah, même affaire ! En tout cas, Félix, moi j'accepterais bien ton offre ! Mon sac à dos est *full* lourd.
Félix : Bon... OK !

Je n'en croyais pas mes yeux. J'ai regardé derrière nous, et j'ai vu que José nous dévisageait. Maude utilisait bel et bien Félix pour me faire enrager et pour le rendre jaloux ! Je savais que ce n'était pas le temps d'intervenir, alors je les ai laissés partir et je suis rentrée chez moi en rageant. Éloi m'a raccompagnée jusqu'au parc près de chez moi, mais je n'avais pas le cœur très amoureux.

Éloi (en me collant) : T'as l'air toute tendue ! Relaxe un peu !
Moi (en rageant encore) : Je ne peux pas me relaxer quand je pense à Maude et Félix dans une même voiture. Peux-tu croire qu'elle l'utilise comme ça et que lui se laisse faire comme une cruche ? Ça, c'est sans compter le mal qu'ils sont en train de faire à José et Katherine !

Éloi (en soupirant) : Voyons, tu exagères ! Félix est allé déposer Maude chez elle ! Il ne l'a pas demandé en mariage ! Il faut que tu relativises, Léa.
Moi (en me tournant vers lui d'un air exaspéré) : Comment peux-tu me demander de relaviser ?
Éloi : On dit « relativiser ».
Moi (en explosant) : Mais je m'en fous du mot exact ! Je me sens pas bien, et j'aimerais ça pouvoir compter sur ton soutien !
Éloi (en haussant le ton) : Et moi, j'aimerais ça que tu décroches de tes petits problèmes et que tu m'accordes un peu d'attention.

J'ai repris mon souffle et j'ai essayé de me calmer. Une partie de moi savait qu'il avait raison, mais je n'avais pas la force de faire semblant d'être de bonne humeur.

Moi (en essayant d'être gentille) : Je m'excuse. Je sais que c'est plate que je sois comme ça, mais je ne suis pas capable de me les sortir de la tête. C'est peut-être mieux que je rentre.
Éloi (l'air déçu) : OK. On se parle plus tard, alors.

Il m'a embrassée rapidement et il est parti chez lui. Je sais que je devrais être une blonde plus attentionnée, mais d'un autre côté, j'aimerais qu'il me comprenne un peu plus !

J'ai passé la soirée à ruminer, à regarder des émissions et à fouiller sur Internet pour trouver un remède à ton complexe de broches. ;) Aujourd'hui, Éloi doit venir chez moi pour qu'on fasse nos devoirs ensemble. Je vais essayer de me rattraper pour hier et d'être un peu plus « attentive à ses besoins ». (J'ai lu ça hier soir, sur Internet. Je pense qu'il est temps que je m'achète une vie sociale au dépanneur ! Lol !)

Donne-moi des nouvelles plus tard !
Léa xox

Mardi 1er avril

19 h 23

Félix (en ligne): Léa! Tu ne devineras jamais! Les parents me paient un voyage en Floride pour célébrer la fin de mon secondaire!

19 h 24

Léa (en ligne): QUOI?! Ben là, c'est *full* injuste! C'est quoi, cette histoire-là?! Ils ne veulent même pas m'acheter de cellulaire, mais ils acceptent de t'envoyer en Floride tout seul! Je vais aller leur parler tout de suite! Y a quand même des limites!

19 h 24

Félix (en ligne): Relaxe! Ça ne leur coûtera pas si cher que ça, parce qu'ils me laissent conduire leur auto jusque là-bas.

19 h 25

Léa (en ligne): QUOI?! Tu veux dire que non seulement ils te laissent partir une semaine, mais qu'en plus, ils te laissent conduire jusque là-bas?! Mais c'est de la FOLIE! Je suis OUTRÉE!

19 h 26

Félix (en ligne): HEHEHE ! HEHEHE ! HEHEHE ! HEHEHE !

19 h 26

Léa (en ligne): Je ne vois pas ce qui est si drôle !

19 h 27

Félix (en ligne): Poisson d'avril !

19 h 28

Léa (en ligne): «Gngngn, poisson d'avril!» T'es con !

19 h 28

Félix (en ligne): Ben voyons ! Où est passé ton sens de l'humour ?

19 h 29

Léa (en ligne): Il est resté près de mon casier vendredi passé quand tu es parti avec Maude.

19 h 31

Félix (en ligne) : C'est pour ça que tu m'as boudé toute la fin de semaine ? Reviens-en ! Tu le sais bien que ça ne veut rien dire. Mais je me suis dit que Maude pourrait peut-être m'être utile, elle aussi. Elle m'a ajouté comme ami sur Facebook et elle m'a offert de faire quelque chose ensemble cette semaine. Comme Katherine ne réagit pas à mes tentatives d'approches amicales, je me suis dit que ça pourrait peut-être fonctionner si je la rendais jalouse, moi aussi !

19 h 32

Léa (en ligne) : Félix, ne fais pas ça ! Tu vas tout gâcher avec Katherine ! En plus, je sais que Maude t'utilise pour rendre José jaloux et pour me faire enrager...

19 h 33

Félix (en ligne) : Et visiblement, elle a réussi ! Je trouve ça flatteur qu'elle m'utilise pour rendre son ex jaloux.

19 h 34

Léa (en ligne): Katherine ne te le pardonnera jamais, et tu ruineras leur amitié pour toujours. Elles ont déjà un historique difficile à cause de José, et elles ont réussi à surmonter ça, mais si elle voit Maude avec son ex qu'elle aime encore, elle va être vraiment blessée...

19 h 34

Félix (en ligne): Ah, ah! Donc, Katherine m'aime encore?

19 h 34

Léa (en ligne): Euh... Je n'ai pas dit ça!

19 h 35

Félix (en ligne): Tu viens de le dire!

19 h 35

Léa (en ligne): Ben là! C'est évident qu'elle éprouve encore des sentiments pour toi. Mais tu l'as vraiment blessée et tu vas lui faire encore plus de peine si tu te mets à fréquenter l'une de ses bonnes amies. De toute façon, il est temps que tu lâches prise.

19 h 36

Félix (en ligne) : Félix Olivier n'aime pas s'avouer vaincu ! Mais tu as raison, ce n'est peut-être pas une bonne stratégie.

19 h 36

Léa (en ligne) : Tu me promets que tu n'embarqueras pas dans le jeu débile de Maude ?

19 h 36

Félix (en ligne) : Ouais, promis.

19 h 37

Léa (en ligne) : Et si je peux me permettre, t'avais pas genre deux rendez-vous avec des filles différentes en fin de semaine ? Il me semble que pour un gars *full* amoureux de Katherine qui ne veut pas lâcher prise, tu n'as pas trop de misère à te changer les idées avec d'autres !

19 h 37

Félix (en ligne) : Ben là ! Il faut bien que je me trouve des passe-temps pour l'oublier. Et ce n'est pas de ma faute si des filles *chicks* veulent devenir mes amies !

19 h 38

Léa (en ligne) : Tu ne changeras jamais ! *Bye!*

À : Léa_jaime@mail.com
De : Marilou33@mail.com
Date : Mercredi 2 avril, 16 h 31
Objet : Ma vie avec des broches

Coucou !
Merci pour tous tes messages de positivisme. Je commence (vraiment tranquillement) à m'habituer (peu à peu) à me voir dans le miroir avec des broches. C'est drôle, parce que JP trouve aussi qu'elles mettent mes lèvres en valeur. Je vois ça comme un compliment !

Mais contrairement à ce que j'avais espéré, le premier *french* a été plutôt... ardu. Je n'arrivais pas à me laisser aller, ni à ouvrir la bouche, parce que j'avais trop peur que JP se coupe. Il m'a convaincue d'essayer, mais je reculais chaque fois qu'il essayait de mettre sa langue dans ma bouche ! Jusqu'à maintenant, je ne peux pas dire que ce soit un succès puisque je me contente de lui donner des petits becs secs.

Ce midi, après avoir inspecté mes dents et découvert qu'un morceau de carotte s'était logé sous mes « rails » (non, ce n'est pas un mythe), Laurie nous a annoncé qu'elle avait cassé avec son chum. Elle n'avait pas l'air triste. Je pense qu'elle a vraiment envie d'être célibataire. D'un côté, je la comprends un peu, parce que c'est vrai que la vie est plus simple quand on n'a pas de chum. En tout cas, ça m'épargnerait bien des chicanes, et je n'aurais besoin de *frencher* personne !

Là, on peut officiellement dire que ton anniversaire approche ! Qu'est-ce que tu comptes faire ? Je trouve ça tellement poche de ne pas pouvoir le célébrer avec toi. :(J'ai très hâte à juin pour venir te voir ou pour que, toi, tu viennes me voir... Il va falloir commencer à songer à notre prochaine aventure ! :) Écris-moi dès que tu peux !
Lou xox

À : Marilou33@mail.com
De : Léa_jaime@mail.com
Date : Vendredi 4 avril, 16 h 34
Objet : 9 jours ! :)

Coucou !
Premièrement, je crois que tu as besoin d'une intervention : Lou, je te promets que ça ne sera pas si pire que ça si tu *frenches* JP avec tes broches, alors promets-moi d'essayer, OK ? Sinon, je me fâche ! ;)

Deuxièmement, les choses sont toujours aussi tendues avec les nunuches, surtout depuis que Maude s'est rendu compte que Félix ne répondait pas vraiment à ses avances. Il m'a dit qu'il l'avait acceptée comme amie Facebook, mais qu'il avait gentiment refusé son invitation à faire une sortie avec elle, parce qu'il ne voulait pas blesser inutilement Katherine. Tu peux être sûre que Maude pense que je suis responsable de ça et qu'elle ne se gêne pas pour me lancer des regards assassins quand je la croise, ni pour rire de moi avec les autres dans le cours d'anglais.

Parlant d'anglais, j'ai offert à Jeanne d'aller à notre café habituel pour travailler sur le texte qu'on doit rendre la semaine prochaine et que je n'arrive pas à écrire. En plus, je trouvais que ça faisait longtemps qu'on n'avait pas passé du temps ensemble. On a travaillé un peu sur notre devoir, puis on s'est mises à parler de tout et de rien.

Moi : Je trouve ça cool qu'on se voie ! Il me semble que depuis la relâche, on n'a pas eu trop la chance de se réunir toutes les deux.
Jeanne : C'est vrai ! Moi aussi, je suis contente !
Moi : Et quoi de neuf ? As-tu reparlé à Alexis ?
Jeanne : On s'est revus chez Alex en fin de semaine, mais je sais que ça n'ira pas plus loin. Alex m'a dit qu'il me trouvait *cute*...
Moi : Alex te trouve *cute* ?
Jeanne : Non ! Alex m'a dit qu'Alexis me trouvait *cute* ! Moi aussi je le trouve beau, mais ce n'est pas assez. On est trop timides, tous les deux... et je ne veux vraiment pas de chum en ce moment.

Moi : Mais penses-tu qu'Alex aussi te trouve *cute* ? Peut-être qu'en plus d'avoir presque le même nom, ils ont les mêmes goûts ! Et il me semble que vous passez beaucoup de temps ensemble, non ?
Jeanne : Ben là ! Alex trouve TOUTES les filles *cutes*, alors ce n'est pas un critère ! J'aime passer du temps avec lui parce que je peux être complètement moi-même, ce qui n'est pas évident avec les autres gars. Tu sais comment il est ! C'est toujours tellement simple avec lui.
Moi (en rougissant un peu) : Ouais, je sais. On avait beaucoup de fun ensemble. Ça me manque des fois, mais bon, je me dis que c'est normal qu'on ne puisse pas être des amis.
Jeanne : Moi, je pense vraiment que vous pourriez être amis ! En tout cas, c'est la version d'Alex !
Moi : Peut-être... Et toi, tu le perçois seulement comme un ami ?
Jeanne (en rougissant) : Je ne suis pas complètement insensible à son charme, mais comme je te le disais, je ne veux pas de chum en ce moment, et je ne voudrais pas risquer de briser notre amitié pour ça. C'est devenu mon meilleur ami ! Presque tout le monde autour de moi est en couple, et je suis un peu tannée que les filles (elle parlait des nunuches) soient toujours en état d'alerte à cause des gars. Ça fait du bien d'avoir un ami avec qui je peux niaiser sans que ça tourne au drame !
Moi : Je comprends... Je me sentais comme ça avec Éloi avant... Et je suis désolée si je t'ai un peu délaissée

à cause de lui et du journal. Mais j'aimerais ça qu'on passe plus de temps ensemble !
Jeanne : Moi aussi ! D'ailleurs, pourquoi tu ne viens pas chez moi samedi ? Alex est censé venir lui aussi, alors ça vous donnerait l'occasion de reprendre contact !
Moi : Ouais, OK ! Ça me tente ! Mais tu es sûre que ça ne le dérange pas que je sois là ?
Jeanne : Ben non, voyons ! Ça fait des mois que c'est fini entre vous ! Et toi, t'es sûre que ça ne dérange pas Éloi que tu passes du temps avec Alex ?
Moi : Je suis sûre que non ! Ils sont super bons amis, et Éloi me fait confiance... Enfin, j'espère !

Je suis vraiment contente qu'on ait mis les choses au clair et que je puisse passer une journée avec elle samedi. J'avoue que je suis aussi un peu soulagée qu'elle et Alex ne soient pas en train de former un couple. Je ne dis pas ça parce que je suis jalouse (promis) ; c'est juste que je trouve ça cool d'avoir des amis qui ne sont pas en couple et de sentir que Jeanne reste fidèle à elle-même.

Pour ce qui est de mon anniversaire, moi aussi, je trouve ça *full* plate de ne pas pouvoir être avec toi. ☹ Éloi m'a déjà dit qu'il me préparait une autre surprise (décidément, il aime ça !) et je pensais peut-être organiser une soirée pyjama avec Katherine et Jeanne le samedi soir (À condition que Katherine soit à l'aise de dormir ici, si près de Félix... Sinon, on fera ça ailleurs !).

La seule chose qui va me manquer, c'est toi. ☹ Mais je te promets qu'on se reprendra quand on se verra !!!

Bisous,
Léa xox

Chapitre 4
Bonne fête, Léa !

Le Blogue de Manu

Inscris un titre : Ma fête

Écris ton problème : Salut, Manu ! J'espère que tu vas bien ! Je t'écris parce que ma fête s'en vient et que je rêve vraiment de recevoir un cellulaire, mais mes parents ne veulent rien savoir. Tous les jours, j'essaie de les amadouer en leur répétant (pas très subtilement) que ma vie changerait s'ils m'en offraient un, mais ils disent que je suis trop jeune, que ça va me rendre dépendante et que la technologie est train de nous transformer en robots (rapport !).

Comme ma *best* Marilou (celle qui habite loin) en a reçu un à sa fête, on pourrait s'écrire à tout moment et je me sentirais moins seule ici. Je leur ai promis d'être responsable, mais je n'arrive pas à les convaincre. As-tu des trucs à me donner pour qu'ils réalisent que je ne suis plus un bébé et qu'un cellulaire est maintenant indispensable aux filles de (presque) 15 ans ?

J'attends ta réponse (s'il te plaît) avec impatience !
Léa xox

P.-S.: Je sais que tu reçois sûrement des centaines de questions, mais si tu répondais à l'une des miennes, ce serait le deuxième plus beau cadeau du monde (après le cellulaire)!

Manu répond à deux questions par semaine. Tu seras peut-être choisie...

À : Katherinepoupoune@mail.com,
Jeanneditoui@mail.com
De : Léa_jaime@mail.com
Date : Samedi 5 avril, 11 h 11
Objet : Ma fête

Salut, les filles !
Je viens de demander la permission à mes parents, alors je peux maintenant vous inviter officiellement à une soirée pyjama chez moi, samedi soir prochain le 12 avril pour célébrer mon anniversaire (Qui tombe le dimanche, et aussi le jour de Pâques. Il n'y a pas de lien entre les deux, mais je trouve ça cool que ça tombe durant une longue fin de semaine). J'ai pensé qu'on pourrait se commander du chinois (miam !) ou alors de la pizza (re-miam !) et regarder des films, parler, potiner, se mettre du vernis, etc. (Pour le vernis, je vais avoir besoin de l'aide de Katherine parce que je suis vraiment nulle dans le domaine et que je n'ai pas grand-chose chez moi !)

Je voulais aussi inviter Annie-Claude, mais elle part pour tout le week-end, alors j'espère que ça vous va si c'est juste nous trois !

Katherine, si jamais tu ne te sens pas à l'aise de passer la nuit ici à cause de Félix, je vais comprendre… Tu confirmeras avec moi pour qu'on trouve une autre solution si sa présence t'énerve (Ce qui m'arrive souvent ! Lol !).

J'attends votre réponse ! Bon samedi !!
Léa xox

À : Léa_jaime@mail.com,
De : Jeanneditoui@mail.com
Date : Samedi 5 avril, 11 h 23
Objet : Re : Ma fête

Moi, je peux, c'est certain ! Ça va être le fun ! On se voit tantôt ! Je t'attends chez moi vers 13 h.
Jeanne
xxx

À : Léa_jaime@mail.com
De : Katherinepoupoune@mail.com
Date : Samedi 5 avril, 13 h 22
Objet : Re : Ma fête

Salut, Léa !
Ça me tente vraiment de faire une soirée de filles pour ta fête ! Ça va être super cool ! Pour ce qui est de Félix, ça va aller. On n'est pas « amis », mais on peut quand même dormir sous le même toit sans que je devienne folle ! Et comme je t'avais dit, je ne veux pas m'empêcher d'aller chez toi parce qu'il y a ton frère (sans compter que j'aime encore le voir souffrir) !

Parlant de lui, j'ai remarqué que Maude le collait de plus en plus depuis quelques semaines, et ce, même si je lui ai expressément demandé de ne pas l'utiliser pour rendre José jaloux. Ça me fait *full* de la peine, parce que je me rends compte que je ne peux pas lui faire confiance (Je parle de Maude, et non de Félix, qui m'a déjà prouvé tout ça au mois de janvier. Ouin, ça va mal, mon affaire !).

Au moins, je peux compter sur Jeanne et toi. Ça va être cool de pouvoir passer une nuit ensemble ! Et compte sur moi pour le kit complet de manucure. J'ai plein de couleurs de vernis. Alors, j'apporterai tout ça chez toi.

À lundi !
Luv,
Katherine

À : Léa_jaime@mail.com
De : Marilou33@mail.com
Date : Lundi 7 avril, 18 h 02
Objet : Marie-Chose-les-Broches

Salut !
C'est ton amie à broches qui t'écrit ! Et on peut dire qu'elles m'ont causé toutes sortes de désagréments depuis quelques jours !

Tout a commencé vendredi quand j'ai vu Sarah Beaupré qui dînait avec JP et ses copains. Je fais des efforts pour lui laisser passer du temps entre gars à l'école tandis que moi je vois mes amies, mais je ne comprends pas pourquoi elle se joint à eux. Elle ne se sent pas de trop ?

Elle m'énervait tellement que je n'ai pas pu m'empêcher de la dévisager, et elle s'en est évidemment rendu compte. Elle s'est levée de sa chaise (elle ne m'insulterait jamais devant les gars parce qu'elle ne veut surtout pas qu'ils se doutent qu'elle est le diable incarné) et elle s'est avancée vers moi.

Elle : T'es pas un peu vieille pour avoir des broches ?
Moi : T'es pas un peu fille pour te tenir juste avec des gars ?
Elle : Pfff ! Es-tu jalouse ?
Moi : T'es la dernière personne de qui je serais jalouse ! Je te trouve plus hypocrite qu'autre chose. Tu fais

ta fine devant les gars pour qu'ils pensent que t'es donc gentille et ouverte d'esprit, alors qu'au fond t'es méchante et t'aimes créer la chicane !
Elle : J'ai seize ans. J'ai plus l'âge de « créer de la chicane » ! C'est toi qui n'as pas rapport et qui ne m'aimes pas parce que tu penses que j'ai volé le chum de ton amie.
Moi : Si t'étais si mature que ça, tu ne viendrais pas m'écœurer parce que j'ai des broches. Et en passant, je te trouve mal placée pour rire de moi : après tout, il y a quand même une faute dans ton tatouage.
Elle : Pfff. Tellement pas. J'ai voulu l'écrire comme ça pour être originale.
Moi : Ouais, me semble ! Avoue-le donc que tu t'es trompée !
Elle : J'ai rien à t'avouer, ni rien à te prouver, Marie-Chose-les-Broches !

Je te jure que j'allais lui sauter à la gorge. Une chance que Steph est arrivée à ce moment-là et m'a calmée, sinon, je ne sais pas ce que j'aurais fait. En plus, elle a réussi à m'atteindre ! Tu sais à quel point mes broches me complexent.

Parlant de ça, j'ai suivi tes conseils, et samedi, j'ai décidé d'affronter mes peurs et de *frencher* JP. Il m'a appelée pour me dire qu'il allait passer la soirée avec ses amis (quelle surprise), mais je lui ai demandé de venir me voir avant. Quand il est arrivé, je lui ai sauté dessus tellement vite que mes broches ont frappé ses lèvres et qu'il s'est mis à saigner. Bravo, Marilou ! Je me sentais tellement mal. On a mis de la glace, puis je lui ai donné un bisou pour me faire pardonner, et on s'est enfin embrassés comme du monde ! C'est un peu bizarre, mais pas aussi inconfortable que je pensais !

Et toi, ta journée avec Jeanne et Alex ? Est-ce que tu as trouvé que c'était louche entre eux ? Et avec Éloi, comment ça va ? Tu me manques !
Lou xox

À : Marilou33@mail.com
De : Léa_jaime@mail.com
Date : Mardi 8 avril, 12 h 21
Objet : Toi aussi, tu me manques !

Lou !
Toi aussi, tu me manques ! La preuve, c'est que je reviens à mes vieilles habitudes et je t'écris le midi du local du journal où il n'y a personne !

Éloi est allé manger à l'extérieur avec Félix et ses amis (leur amitié me dépasse un peu), Jeanne s'était déjà engagée à aller dîner avec Katherine et les nunuches, et Annie-Claude participe à une réunion de l'un de ses milliards de comités. Bref, je suis rejet, et c'est surtout dans ces moments-là que je m'ennuie de notre école. Il me semble que même quand tu avais quelque chose de prévu à l'heure du lunch et que notre gang n'était pas à la cafétéria, je pouvais m'asseoir à n'importe quelle table sans avoir peur de me faire juger ou rejeter. Ici, ce n'est pas comme ça. J'ai l'impression que je marche encore sur des œufs et que je dois surveiller chacun de mes gestes pour être sûre de ne pas déplaire aux autres. On dirait que les apparences sont plus importantes ici, que les gens jugent plus, et je trouve ça vraiment difficile par moments. Je sais que j'ai écrit une chronique pour dénoncer tout ça, mais ça ne change pas les faits.

Au moins, j'ai passé un très bon moment chez Jeanne. C'est tellement cool d'être avec gens qui disent ce qu'ils pensent sans se soucier du regard des autres.

Le seul petit hic, c'est qu'Alex et Jeanne se connaissent depuis tellement longtemps qu'ils partagent tout plein d'histoires que je ne connais pas, et je dois avouer que des fois, je suis un peu jalouse de leur complicité.

La vérité (ne le dis pas à personne), c'est que j'envie un peu leur amitié. Ça me fait penser à Éloi et moi, avant qu'on sorte ensemble. Je sais que maintenant c'est mon chum, mais je ne peux pas m'empêcher de sentir que j'ai perdu mon meilleur ami en sortant avec lui. Je suis contente d'être sa blonde, mais je réalise que je ne peux pas avoir les deux.

La bonne nouvelle, c'est que je ne sens aucun malaise entre Alex et moi malgré ce qui s'est passé entre nous. Il a le don d'être tellement gentil, *chill* et chaleureux que ça mettrait n'importe qui à l'aise. Jeanne et lui avaient l'air sincèrement contents que je me joigne à eux. Ils ont même proposé qu'on devienne les trois mousquetaires !

Quand je suis partie, Alex m'a raccompagnée jusqu'au métro et il en a profité pour me demander comment ça allait avec Éloi. J'étais un peu gênée de lui répondre.

Moi (en me tortillant les mains) : Euh, ça va.
Alex : Tu peux m'en parler, Léa. Je ne vais pas me mettre à pleurer !
Moi : Ben là ! Je le sais. C'est juste un peu bizarre de te parler d'Éloi...
Alex : C'est un bon ami ! Je le trouve super cool, ce gars-là ! Je suis content que tu sois avec lui.
Moi (J'avoue que j'étais un peu surprise. Je comprends que c'est son ami, mais de là à dire qu'il est content de me voir avec quelqu'un d'autre, c'est un peu intense, non ?) : Euh... OK. Contente que tu sois content !
Alex : Tu comprends ce que je veux dire ! Genre quitte à ce que tu sois avec un autre gars, j'aime autant que ce soit lui.
Il m'a fait un petit sourire en coin, et j'ai senti mon ventre se nouer. Je ne comprends pas trop pourquoi mon corps réagit comme ça. Je suis super bien avec

Éloi, et je sais que je ne veux pas être avec Alex... Alors pourquoi est-ce qu'il me fait encore de l'effet ? J'ai décidé de briser le silence pour ne pas qu'il remarque mon malaise.

Moi : Et toi ? Est-ce que tu as une nouvelle blonde ? Ou une fille qui t'intéresse ?
Alex (en riant) : Il y a *plein* de filles qui m'intéressent !
Moi : Niaiseux !
Alex : Je suis sérieux ! Mais je ne veux pas de blonde, en ce moment.
Moi : Tu parles comme Jeanne !
Alex : Je sais ! On a plein de points communs, Jeanne et moi !

On s'est arrêtés devant les portes du métro.

Alex : J'ai trouvé ça cool, aujourd'hui ! Tu devrais te joindre à nous plus souvent. J'étais sérieux avec mon idée des trois mousquetaires.

J'ai souri en guise de réponse et je lui ai fait un signe de la main. Je sais que c'est prometteur, et tu vas sûrement me dire que je stresse pour rien et que je peux m'imposer sans problème dans leur petit groupe, mais je ne veux quand même pas être trop pot de colle. Quand je suis rentrée à la maison, j'ai parlé à Éloi, et à ma grande surprise, il n'avait pas l'air super content que je passe du temps avec Jeanne et Alex.

Lui : Je ne comprends pas pourquoi tu tiens tant que ça à les voir.
Moi : Ben, tu sais, je n'ai pas des milliards d'amis ici, et je les trouve gentils.
Lui : Jeanne, je comprends, mais Alex... Il me semble que c'est bizarre, non ?
Moi : Ben non ! Pourquoi tu dis ça ? Je sais qu'on s'est fréquentés, mais il n'y a aucun froid entre nous. Est-ce que ça te dérange que je sois son amie ? Tu t'entends bien avec lui, non ?
Lui : Non, ça ne me dérange pas, et oui, je m'entends bien avec lui, mais on n'a pas des tonnes de choses en commun. C'est juste que j'ai de la misère à vous imaginer comme amis.

J'aurais bien voulu lui dire que je cherchais un peu à recréer une amitié que j'avais perdue en sortant avec lui, mais je me suis dit qu'il le prendrait sans doute très mal, et que le moment n'était pas bien choisi, alors je me suis contentée de changer de sujet.

Hier après-midi, je suis allée faire des courses avec mes parents, qui réclamaient du temps avec « leur grande fille ». Ils m'ont d'ailleurs annoncé qu'ils avaient une soirée prévue samedi soir, et que j'aurais la maison à moi toute seule avec mes amies jusqu'à minuit environ !

Pour ce qui est de Sarah Beaupré, je suis d'accord qu'elle est vraiment la reine des hypocrites ! Une vraie

Maude ! On devrait peut-être les présenter ? Coup de foudre assuré ! Lol !

Sans blague, ne te laisse pas atteindre par ses attaques faciles. Tu es mille fois plus *cute* qu'elle, même avec tes broches ! Je pense que c'est plus sain de l'ignorer et de passer du temps seule avec JP si tu veux que les choses s'améliorent. Essaie aussi d'éviter le sujet avec lui si tu penses que ça crée des chicanes. Il la trouve cool parce qu'elle joue un rôle devant les gars, mais je t'assure qu'un jour, sa vraie nature va refaire surface et il réalisera que tu avais raison !

Je te laisse, car je dois finir mon devoir d'anglais et c'est vraiment difficile ! Pourquoi les anglophones disent-ils que le français est si compliqué, alors que c'est LEUR langue qui est illogique ? ! J'espère pouvoir copier celui de Jeanne avant la dernière période !

On se parle plus tard !
Léa xox

À : Léa_jaime@mail.com
De : Marilou33@mail.com
Date : Jeudi 10 avril, 18 h 12
Objet : Jasons puberté !

Je capote ! Aujourd'hui, quand je suis rentrée de l'école, ma mère m'attendait dans le salon.

Ma mère : Salut, Lou. J'attendais justement que tu arrives. Je voulais te parler.
Moi : Euh... OK. Qu'est-ce qu'il y a ? J'ai oublié de sortir les vidanges ?
Ma mère : Non...
Moi : Le dentiste a appelé pour m'annoncer que je pouvais me faire enlever mes broches ?
Ma mère : Ce n'est pas ça. En fait... Ton père et moi, on te trouve... hum... différente depuis quelque temps, et je voulais t'en glisser un mot.
Moi : Euh... C'est quoi, le rapport ? Je ne suis pas différente !
Ma mère (en se rapprochant de moi de façon maladroite) : Ben oui, t'es différente. Mais tu sais, c'est normal. J'ai lu plein d'articles là-dessus. Ça doit être « la crise d'adolescence ».
Moi : Maman... De quoi tu parles ?
Ma mère : Eh bien... Tu sais... Ton corps change, tes hormones s'affolent, tu te poses des questions... Tu te sens incomprise et c'est peut-être pour ça que tu nous rejettes. Mais je veux que tu saches que tu es comprise.

(En prenant ma main de façon dramatique.) Je suis là pour toi.

Je l'ai fixée sans rien dire pendant dix bonnes secondes. Je m'attendais à ce qu'elle éclate de rire et qu'elle me dise que c'était une blague. On s'entend que ma mère n'est pas aussi intense que ça d'habitude ! Quand j'ai réalisé qu'elle était sérieuse, j'ai retiré ma main et je me suis levée d'un bond.

Moi : OK, c'est quoi, l'affaire ? Je n'ai pas changé, maman ! Et je ne vous rejette pas, non plus ! J'ai une semaine plus difficile parce que j'ai maintenant des rails dans la bouche ! Ça arrive à tout le monde, non ?
Ma mère (en riant) : Tu me rassures. Mais tu me le dirais si ça n'allait pas ?
Moi : Oui, maman.
Ma mère : Et si tu te posais... des... questions ?
Moi : Quel genre de questions ?
Ma mère : Genre des questions à propos de ton corps...
Moi : J'ai mes règles depuis trois ans. Je le connais, mon corps.
Ma mère : Je veux aussi dire... Hum... (Elle a respiré un bon coup, et elle m'a regardée dans les yeux.) Des questions à caractère... sexuel. Ça commence à faire un bout que tu sors avec JP, et peut-être que tu as... hum... des doutes là-dessus...

Je pense que je ne m'étais jamais sentie aussi mal à l'aise de toute ma vie. Si j'avais pu me faire téléporter au milieu du désert, je l'aurais fait.

Moi : Maman ! Arrête ! Je ne me pose pas de questions ! Tout va bien, OK ?
Ma mère : Bon... Mais si jamais il y a quoi que ce soit, tu viens m'en parler, d'accord ? Et n'oublie pas de t'écouter, et d'attendre d'être prête avant de sauter des étapes.

Elle a prononcé sa dernière phrase à un débit très rapide. J'ai alors compris que c'est ce qu'elle essayait de me dire depuis le début de notre conversation (la plus bizarre au monde). Genre qu'elle et mon père ont senti que j'étais bizarre, alors ils ont conclu que ça avait un lien avec JP et le sexe (? ! ?), et elle a voulu s'assurer que sa petite fille ne sautait pas d'étapes.

D'un côté, je me sentais terriblement humiliée et un peu choquée qu'elle ne me fasse pas confiance, mais d'un autre, j'étais attendrie qu'elle s'en fasse à ce point-là pour moi. Je me suis contentée de sourire et de lui promettre que je ne ferais rien sans être prête, puis je me suis enfermée dans ma chambre en souhaitant que cette conversation n'ait jamais eu lieu. Je dois aller souper d'une minute à l'autre, et, pour une fois, je suis extrêmement reconnaissante de l'existence de mon petit frère et de son hyperactivité qui sauront nous faire oublier cette discussion troublante et mortifiante. Peut-être que je devrais lui offrir un peu de chocolat pour m'assurer qu'il attire l'attention vers lui ? Mouahaha !

Toi ? As-tu passé une journée moins bizarre que la mienne ? Ta fête approche ! Youpi ! Est-ce que tu sais ce qu'Éloi te prépare ?

Essaie de m'appeler demain ou samedi avant mon entraînement de natation ! JP m'a promis de passer une soirée en amoureux samedi soir !

À plus !
Lou xox

Vendredi 11 avril

19 h 44

Félix (en ligne): Hey! Qu'est-ce que tu fais?

19 h 44

Léa (en ligne): Rien. Je gosse sur Internet. J'attendais que Marilou se connecte, mais elle n'est pas là.

19 h 45

Félix (en ligne): Tu fais quoi de ta soirée?

19 h 46

Léa (en ligne): Je vais regarder un film, je pense. En mangeant des beignes.

19 h 47

Félix (en ligne): C'est palpitant... À chacun sa vision d'un vendredi soir excitant! Moi, je préfère aller dans un party! J'accompagne une fille qui me court après depuis un bout. ;) Mais avant, je voulais te dire que je compte inviter quelques amis, demain soir.

19 h 48

Léa (en ligne): Inviter des amis où ?

19 h 48

Félix (en ligne): Ben, ici ! Les parents sortent jusqu'à tard, alors je veux en profiter, moi aussi.

19 h 49

Léa (en ligne): Mais c'est MA fête ! J'ai invité Katherine et Jeanne, et on se fait une soirée de filles ! Ça va tout gâcher si tes amis sont ici !

19 h 50

Félix (en ligne): Ben non ! Vous avez juste à vous joindre à nous au lieu de jouer à la Barbie dans ta chambre !

19 h 51

Léa (en ligne): Premièrement, j'ai passé l'âge de Barbie, et deuxièmement, je voulais vraiment passer une soirée tranquille avec mes amies. Est-ce que les parents sont au courant que tu invites ta gang ?

19 h 52

Félix (en ligne) : Ils savent que je pensais inviter un ou deux amis à souper ici et ils ne s'y sont pas opposés. En plus, il y a une *game* des séries, samedi ! Pas de chance que je rate ça.

19 h 53

Léa (en ligne) : Mais tes amis ont des télés, eux aussi ! Va donc ailleurs !

19 h 54

Félix (en ligne) : Leurs télés ne sont pas aussi grosses que la nôtre.

19 h 54

Léa (en ligne) : Tu m'énerves ! Ce n'est pas juste ! Tu fais juste ça pour pouvoir te rapprocher de Katherine !

19 h 54

Félix (en ligne) : Ce n'est pas vrai ! La preuve, c'est que Katherine n'aime même pas le hockey.

19 h 56

Léa (en ligne) : Tu aurais pu choisir une autre soirée pour m'imposer tes amis plates ! *BYE !*

À : Léa_jaime@mail.com
De : Marilou33@mail.com
Date : Dimanche 13 avril, 00 h 05
Objet : Bonne fête !!

LÉA ! C'EST OFFICIELLEMENT TA FÊTE ! BONNE FÊTE !

Je sais que tu as essayé de me joindre, mais, finalement, j'ai passé la soirée de vendredi avec mes parents et mon petit frère. Je me suis dit que si je leur accordais un peu de temps, ils finiraient par me laisser tranquille avec leurs questions bizarres, qu'ils se diraient que je n'ai pas changé et que tout ça est dans leur tête !

Hier, j'ai passé la journée à la piscine (j'ai une compétition demain, ou plutôt aujourd'hui, comme il est minuit passé), et une partie de la soirée chez JP (j'évite de l'inviter chez moi, car j'ai peur que mes parents s'assoient avec nous pour jaser des étapes de la vie). On a regardé un film un peu plate (genre film de gars), mais je me sentais bien avec lui, ce qui m'a un peu rassurée après les semaines qu'on vient de passer ! Et j'ai suivi ton conseil : je n'ai pas du tout abordé le thème de la-folle-au-tatouage-avec-une-faute-dedans !

Et toi ? J'ai lu le message que tu m'as laissé sur Skype. Comme ça, ton frère a décidé d'organiser un party pendant que tes parents n'étaient pas là ?

Comment ça s'est passé ? Et avec Jeanne et Katherine, est-ce que c'était le fun, ou est-ce que la présence de Félix a tout gâché ?

C'est demain que tu vois Éloi et que tes parents te donnent ton cadeau, non ? Tu me raconteras tout ! J'ai hâte d'avoir les détails !

P.-S. : BONNE FÊTE ENCORE !
P.P.-S. : Moi aussi, j'ai un cadeau pour toi ! Je l'ai commandé sur Internet, et il devrait arriver chez toi en début de semaine ! :)
Lou xox

À : Marilou33@mail.com
De : Léa_jaime@mail.com
Date : Dimanche 13 avril, 14 h 42
Objet : Tellement de choses à te raconter !

Premièrement : t'es fine, Lou ! Merci de m'avoir écrit juste après minuit et d'avoir pensé à moi ! Après la soirée bizarre que j'ai passée hier, ça faisait du bien de te lire.

Katherine et Jeanne sont arrivées ici vers 17 h. Au début, tout se passait super bien. On a niaisé dans ma chambre, on s'est mis du vernis, on a regardé des photos drôles dans les magazines et on s'est fait livrer des mets chinois (miam !). Quand notre souper est arrivé, on est descendues pour s'installer dans la salle à manger et on a remarqué que Félix était déjà dans le salon et regardait le match avec quatre de ses amis. Je ne les connaissais que de vue. C'était tous des gars de secondaire 5, alors Jeanne et moi étions un peu intimidées, mais Katherine les connaissait déjà à cause de Félix et jasait avec eux comme s'ils avaient élevé les cochons ensemble. Je l'admire tellement des fois ! Félix nous a ensuite invitées à nous joindre à eux pour écouter le reste de la partie, qui était « super enlevante » (ses mots, pas les miens ! Lol !). J'ai consulté Katherine du regard pour savoir si elle se sentait à l'aise, mais elle était déjà assise entre deux des amis de Félix et elle écoutait le match avec un intérêt que je ne lui connaissais pas. J'ai échangé un sourire avec Jeanne, puis nous nous sommes installées près d'eux.

Tout allait bien jusqu'au deuxième entracte. On a sonné à la porte et je suis vite allée ouvrir. J'ai failli m'étouffer quand j'ai vu MAUDE qui se tenait devant moi, accompagnée de deux autres gars de secondaire 5 ! (Mais qu'est-ce qu'ils ont tous à la suivre partout ?)

Moi : Qu'est-ce que tu fais là, toi ? Je ne t'ai pas invitée à ma fête !
Elle : Je m'en fous, de ta fête. C'est Félix qui m'a invitée.
Katherine : QUOI ? !

Je me suis retournée et j'ai vu que Katherine se tenait derrière moi. Elle avait les yeux écarquillés et les poings serrés. J'ai eu peur qu'elle saute au visage de Maude. Les deux gars qui accompagnaient Maude ont toussoté et sont allés rejoindre le reste du groupe au salon avant d'être mêlés à une autre chicane de filles.

Maude (en baissant le ton) : Relaxez, les filles. José est censé passer plus tard, et je voulais juste le provoquer un peu. Katherine, je te jure que je ne suis pas ici pour te voler ton chum.
Katherine (en serrant toujours les poings) : Ce n'est pas mon chum !

Maude s'est frayé un chemin entre Katherine et moi pour aller rejoindre les autres. Une chance qu'elle ne s'est pas pointée avec le reste des nunuches, parce que ça aurait officiellement été le pire anniversaire de ma vie. En la voyant, Jeanne l'a saluée et m'a jeté un regard surpris.

Moi, c'est Félix que j'avais envie d'étriper. Comment avait-il pu inviter mon ennemie jurée à mon party de fête ? Non, mais ! Je ne me suis pas gênée pour me rendre au salon et lui pincer le bras.

Lui : OUCH ! C'est quoi, ton problème ?
Moi : Suis-moi si tu ne veux pas que je fasse une scène devant tout le monde !

Il a remarqué la présence de Maude et il est devenu livide. Il m'a entraînée vers la cuisine en chuchotant.

Lui : Merde ! Qu'est-ce qu'elle fait là, elle ?
Moi : C'est exactement la question que je voulais te poser ! Comment as-tu pu me faire ça, Félix ? ! Non seulement tu as gâché ma fête, mais tu as ruiné tes chances de revenir avec Katherine. Je te jure que ni elle ni moi ne te pardonnerons ce coup bas !
Lui : Relaxe, Léa ! Je ne l'ai pas invitée. J'ai parlé du party à mes amis pendant qu'elle était là, mais je ne lui ai jamais dit de venir ici. Je ne suis pas con à ce point-là !
Moi : En tout cas, c'est ta faute si elle est ici, alors arrange-toi pour qu'elle disparaisse !

Je suis allée retrouver Katherine et Jeanne et nous sommes montées dans ma chambre pour faire le point sur la situation.

Moi : Je n'en reviens pas qu'elle soit ici ! Je viens d'engueuler Félix, mais il paraît que c'est Maude qui s'est invitée toute seule !
Katherine : Elle a quand même eu le culot de se pointer ici ! Premièrement, ce n'est pas comme si elle était amie avec toi, et elle savait très bien que Jeanne et moi étions ici pour célébrer ta fête ! Deuxièmement, même si elle me dit qu'elle ne veut pas « me voler » Félix, pourquoi s'attaque-t-elle à lui pour rendre José

jaloux ? Je suis sûre qu'elle ne m'a jamais vraiment pardonné ce qui s'est passé entre lui et moi et qu'elle cherche aussi à se venger !
Jeanne : J'avoue que c'est poche qu'elle soit ici, mais sérieusement, je ne crois pas que Maude t'en veuille encore. Il me semble qu'elle m'en aurait glissé un mot, non ?
Katherine : Elle ne t'a rien dit parce qu'elle sait qu'on est rendues super proches et que tu vas tout me raconter ! Et même si tu as raison, c'est plus fort que moi ! Je ne lui fais pas confiance !

J'ai proposé aux filles de rester dans ma chambre un peu plus longtemps, question de se calmer les esprits, mais je voyais bien que Katherine mourait d'envie d'aller surveiller Maude pour s'assurer qu'elle ne colle pas trop mon frère. On a donc rejoint Félix, ses amis et ma pire ennemie (à part Sarah Beaupré) pour célébrer ma fête dans le malaise le plus total. Ce n'était absolument pas la soirée que j'avais prévu. Merci, Félix !

Une dizaine de personnes s'étaient jointes au groupe depuis notre migration dans ma chambre. La plupart étaient des amis de Félix que j'avais déjà croisés et dont je me rappelais vaguement le nom.

Je me suis rendue à la cuisine, et je suis tombée nez à nez avec Éloi, que mon frère avait eu la brillante idée d'inviter. Je l'aime beaucoup, mais l'objectif principal d'une soirée de filles, c'est de pouvoir parler de son chum sans qu'il soit là. Et j'avais prévu de le voir demain... Pas ce soir.

Moi (surprise, mais pas folle de joie) : Hey ! Qu'est-ce que tu fais là ?
Éloi (en m'embrassant) : Félix m'a invité à venir faire un tour, et je me suis dit que je te ferais la surprise.
Moi : Ah, c'est gentil... Il a le don de me faire des surprises ce soir. J'avoue que je ne m'attendais pas à te voir, ni à ce qu'il y ait un party ici ce soir !
Éloi (en reculant légèrement) : Préfères-tu que je m'en aille ?
Moi : Ben non ! C'est correct. Ma soirée de filles est un peu tombée à l'eau, de toute façon.

Il s'est approché de moi pour me coller, mais je ne me sentais pas très affectueuse. J'ai vu que Jeanne et Katherine discutaient dans un coin, et je me suis excusée auprès d'Éloi pour aller les rejoindre. Je ne voulais pas laisser mes invitées toutes seules !

Moi : Je vais aller rejoindre les filles, OK ? Je me sens mal de les abandonner ! Elles n'ont pas de chums, elles.
Éloi (d'un air un peu froid) : OK. Ben, je vais y aller, d'abord. Je pensais te faire plaisir en venant te saluer, mais j'ai l'impression de te déranger.

Moi (en l'embrassant sur la joue) : Ben non, voyons ! Tu peux rester. Je ne veux juste pas passer la soirée collée sur toi. Ce n'est pas ce que j'avais prévu et je trouve ça poche pour mes amies.
Éloi (en me repoussant doucement) : C'est comme tu veux. On se voit demain, de toute façon. Bonne soirée, Léa.

Il m'a embrassée sur le front et il est parti sans même se retourner et sans que je puisse lui dire au revoir. Je sais que j'ai peut-être été un peu froide avec lui, mais je trouve ça plate qu'il me fasse sentir mal comme ça. J'ai décidé de ne pas le laisser gâcher le reste de ma soirée et je suis allée rejoindre Jeanne et Katherine qui discutaient maintenant avec Édith, une amie de mon frère.

On a sonné de nouveau à la porte, et quand je suis allée ouvrir, ce sont José et Alex qui se dressaient devant moi. Je les ai conduits au salon, et j'ai remarqué que Maude était très nerveuse. Alex a salué rapidement des gens, puis il s'est joint à nous.

Alex : Vous n'aviez pas un party de filles, vous ?
Moi : Ouais, mais Félix a comme gâché tout ça.
Jeanne (en riant) : C'est correct ! On aura de quoi potiner en se couchant.
Katherine (en surveillant Maude du coin de l'œil) : Mets-en !

Le reste de la soirée a passé rapidement, et le moins que je puisse dire, c'est qu'il y avait de la tension dans l'air ! Félix surveillait Katherine, qui surveillait Maude, qui surveillait José, qui draguait trois filles qui étaient assises sur le sofa. Alex, Jeanne et moi étions assis par terre et on observait la scène en commentant la situation. Vers 23 h 30, j'ai fait comprendre à Félix qu'il était temps de ranger avant que nos parents arrivent et capotent. J'étais en train de laver la vaisselle quand Alex est venu me voir.

Lui : Éloi n'est pas là ?
Moi : Il est passé tout à l'heure, mais il n'est pas resté longtemps. Je pense qu'il s'attendait à ce que je prenne plus soin de lui.
Lui : Comment ça ?
Moi : J'étais contente de le voir, mais je ne voulais pas le coller. Je me sens mal, mais après tout, c'était censé être une soirée de filles !
Lui (d'un air moqueur) : Désolé de m'être imposé, alors !
Moi (en riant) : Ben non, voyons ! Si Félix tient à transformer mon salon en party, j'aime autant qu'il y ait des gens que je connais. J'aurais pu me passer de Maude, par contre !

Il a ri, puis il m'a regardée d'un air moqueur.

Lui : Savais-tu que dans moins d'une heure, c'est ta fête ?

Moi : Oui ! Mais je ne savais pas que tu le savais que c'était ma fête !
Lui : Jeanne me l'a dit... Et ça m'a permis de t'apporter un petit quelque chose.

Je l'ai regardé d'un air surpris et je suis devenue toute rouge. Je n'en revenais pas ! Non seulement il savait que c'était ma fête, mais en plus, il m'avait acheté un cadeau !

Il m'a tendu une enveloppe. À l'intérieur, il y avait une carte assez drôle, et deux billets pour La Ronde.

Moi : *OH MY GOD !* T'es ben gentil ! Ce n'est pas « un petit quelque chose », ça ! C'est genre, un *full* gros cadeau !
Lui (en souriant) : Ben non, ce n'est rien ! Mon cousin travaille à La Ronde, alors c'est facile pour moi d'avoir des billets. Personnellement, je pense que tu ne peux pas te considérer Montréalaise tant que tu n'es pas allée à La Ronde. Tu pourras inviter quelqu'un à se joindre à toi !

Je me sentais un peu mal. Je sais que c'était « logique » que j'invite Éloi, mais en même temps, c'est Alex qui m'avait offert les billets... Je trouvais ça vraiment bête de ne pas l'inviter.
Moi : Ben... euh... Tu sais, c'est... c'est ton cadeau. Alors, il me semble que ce serait le fun qu'on y aille... genre... ensemble ? Ben, si ça te tente, évidemment !

J'avais parlé tellement vite que j'étais essoufflée. Puis je me suis soudain souvenue de mon vertige, et de ma peur de vomir dans les manèges. J'ai rougi encore plus.

Lui (en souriant) : Wow ! C'est gentil ! Ben, si tu me l'offres, je serais niaiseux de ne pas accepter !
Moi : Il faut toutefois que je te prévienne que j'ai parfois le vertige quand je vais dans des manèges... et que ça peut me donner la nausée. Bref, si jamais je suis malade, tu n'as pas le droit de me juger, ni de rire de moi, ni d'utiliser cette information contre moi à l'école !
Lui : Promis, juré, craché !

J'étais vraiment contente, parce que je savais que le fait de passer une journée seule avec Alex me permettrait de me rapprocher de lui et de renforcer notre amitié. J'ai toutefois eu un petit pincement au cœur en pensant à Éloi. J'avais été un peu bête avec lui quand il était venu au party, et là, je rigolais comme une folle avec un autre gars, qui est, de surcroît, mon ex.

Je l'ai embrassé sur les deux joues pour le remercier, et j'ai remarqué qu'il sentait toujours aussi bon. Félix et Jeanne se sont ensuite joints à nous, et j'ai rapidement caché mon enveloppe. Je sais que c'est niaiseux, mais à cet instant, je n'avais pas envie de partager ça avec les autres, ni de prévoir une activité de groupe.

On a fini le ménage, et tous les invités qui restaient sont rentrés chez eux quelques minutes à peine avant le retour de mes parents, qui se doutaient bien qu'on avait invité des amis !

Je suis ensuite montée dans ma chambre avec Jeanne et Katherine. Les filles m'ont raconté que pendant que j'étais dans la cuisine, Maude et José avaient fini par se *frencher* dans le salon, au grand bonheur de Katherine qui n'avait plus à jouer les espions.

Jeanne, Katherine et moi avons parlé du party pendant une partie de la nuit, et les filles m'ont finalement offert leurs cadeaux. Katherine m'a acheté un petit panier rempli de produits de beauté (je pense qu'elle a compris que j'étais nulle dans le domaine), et Jeanne m'a offert le premier tome de *Hunger Games* en français, et le deuxième tome en anglais pour « que je me pratique ». J'étais super contente !

Ce matin, mes parents nous ont préparé un petit-déjeuner, puis les filles sont parties. Je voulais te raconter le tout avant de rejoindre Éloi à 17 h près du parc Lafontaine. J'avoue que je suis curieuse de connaître sa fameuse surprise ! Je ne peux pas rentrer très tard, car mes parents m'attendent pour le gâteau et pour m'offrir mes cadeaux (youpi), alors je t'écrirai plus tard pour te raconter la suite des aventures.

Bonne chance pour ta compétition ! T'es la meilleure ! ;)
Léa xox

À : Léa_jaime@mail.com
De : Thomasrapa@mail.com
Date : Dimanche 13 avril, 16 h 44
Objet : Bonne fête !

Salut,
Je sais qu'on n'est pas vraiment en « bons termes » en ce moment, mais ça ne veut pas dire que je ne pense pas à toi, ni à ton anniversaire.

J'espère que tu passes une belle journée. Je me souviens que l'an passé, on avait fait un pique-nique dans le parc pour célébrer la fonte de la neige, et qu'il faisait tellement froid qu'on avait dû se coller pour se réchauffer.

J'ai souvent des souvenirs comme ça qui me reviennent en tête, et ça me rend triste de ne plus pouvoir les partager avec toi. Tu me manques encore beaucoup, malgré ce que tu peux penser. Je sais que tu as un chum et tu sais maintenant que j'ai une blonde, mais ça ne change rien à ce que nous avons vécu, ni à ce que je ressens pour toi.

Je te souhaite d'être heureuse.
Thomas

À : Marilou33@mail.com
De : Léa_jaime@mail.com
Date : Dimanche 13 avril, 20 h 12
Objet : Humiliation totale... pour ma fête !

Salut, Lou !
Mes parents et Félix m'attendent pour m'offrir mes cadeaux et pour manger du gâteau, mais je ne pouvais pas attendre avant de te raconter ma journée avec Éloi.

Cette fois-ci, j'étais parée à toute éventualité. Comme il fait froid dehors (je pensais que l'hiver était fini, mais non, il a même neigé cette nuit) et que je ne voulais pas que ses fameuses surprises de plein air tombent encore à plat à cause de mon manque de motivation et de prévision vestimentaire, j'ai décidé de mettre des combines sous mon pantalon de neige et mon manteau de ski. J'ai même enfilé ma tuque avec des flocons dessus. J'étais habillée comme si je m'apprêtais à escalader le Kilimandjaro, et j'espérais qu'Éloi soit content de mon effort. Ça montrait que même si on était différents, j'étais prête à faire des compromis pour m'adapter à ses passions !

Quand il m'a vue arriver, il a eu l'air un peu surpris. J'ai aussi remarqué qu'il portait des pantalons chics et un manteau en laine. On dirait qu'il s'apprêtait à aller à l'opéra, alors que moi, je m'en allais faire de la raquette.

Lui : Bonne fête, Léa ! T'as décidé d'adopter un nouveau style pour célébrer tes 15 ans ?
Moi : Ben non, niaiseux ! Mais les dernières fois que tu m'as fait des surprises, je n'étais pas préparée pour affronter le froid, alors que là, je suis prête à tout !
Lui : OK... C'est gentil, mais on ne va pas faire d'activité extérieure aujourd'hui !
Moi (en devenant de moins en moins sûre de moi) : On ne va pas glisser ou patiner au parc ?
Lui : Non... C'est plutôt le contraire...

Il m'a prise par la main et m'a guidée vers une rue avec tout plein de boutiques et de beaux restaurants. Quand il s'est arrêté devant un restaurant français *full* chic, j'ai eu un mouvement de recul.

Moi : Ne me dis pas qu'on vient ici ?
Lui : Oui ! J'ai prévu un souper romantique dans un super beau restaurant pour ta fête ! Je sais que tu dois rentrer chez toi pour le gâteau, alors je t'ai donné

rendez-vous assez tôt... Pourquoi tu fais cette face-là ? Tu n'as pas faim ?
Moi : Ce n'est pas ça. J'ai toujours faim ! C'est juste que... Je ne suis pas vraiment habillée pour venir ici.
Lui : Tu n'as qu'à aller te changer aux toilettes.
Moi (en chuchotant) : Je ne peux pas me changer... J'ai juste des combines en dessous.

Éloi m'a regardée en écarquillant les yeux. On s'est installés à la table, et j'ai déterminé que le mieux à faire, c'était de garder mes pantalons de neige, mais d'enlever mon manteau et ma tuque. Mais le haut de ma combine était orné de petits oursons. J'ai aussitôt pensé à ma culotte aux mêmes motifs qui m'avait attiré des regards, et j'ai étouffé un rire.

On a soupé rapidement, et l'ambiance était plutôt tendue. J'étais gênée, j'avais chaud, et Éloi ne semblait pas trop dans son élément. C'était bizarre de le voir avec une chemise boutonnée jusqu'au cou ! Je sais qu'il a voulu me faire plaisir et m'impressionner, mais je trouve que ça ne nous ressemble pas vraiment de fréquenter un restaurant trop guindé, rempli de gens snobs qui nous dévisagent parce qu'on est jeunes et que je suis habillée pour aller au Carnaval de Québec.

Vers la fin du souper, l'atmosphère s'est un peu détendue quand Éloi m'a offert mon cadeau, que j'ai adoré. C'est une petite chaîne en argent avec un pendentif en forme de L en l'honneur de mon prénom. Elle est *full* belle ! Je suis tellement soulagée que ce ne soit pas une gourde ou un sac de couchage ! ;)

Je l'ai remercié pour tout et je suis rentrée rapidement chez moi pour souffler mes bougies et ouvrir mes cadeaux. Là, mes parents me crient après pour que je descende, alors je dois filer. Donne-moi des nouvelles !
Léa xox

13-04 21 h 21

Lou! C'est Léa! Devine quoi? Je t'écris de mon nouveau cellulaire!!!

13-04 21 h 23

OMG! C'est tellement cool! Tu as réussi à les convaincre, et tes parents ont finalement compris la nécessité de t'en acheter un! On va pouvoir se texter tout le temps!

13-04 21 h 25

Je sais! Le seul problème, c'est que mes parents ont choisi un forfait de 200 messages (gratuits jusqu'à toi!) par mois pour éviter que je perde le contrôle et que «je devienne un robot». Lol!

13-04 21 h 26

Lol! C'est quand même très cool! Ton rêve qui devient réalité! Et tu vas pouvoir me parler des nunuches en direct! ;)

13-04 21 h 26

Je sais! En passant, as-tu lu mes courriels?

13-04 21 h 27

Oui, ainsi que celui que Thomas t'a envoyé pour ta fête ! Il m'énerve tellement ! Pourquoi il t'écrit encore des choses comme ça ?

13-04 21 h 27

Ben, je pense qu'il voulait juste me dire qu'il pensait encore à moi…

13-04 21 h 28

Moi, je le trouve *full* manipulateur ! Qu'il arrête de penser à toi, et qu'il se concentre sur sa folle de blonde un peu !

13-04 21 h 28

Et as-tu lu mes autres courriels ?

13-04 21 h 29

Oui, et je capote ! Trop d'action en deux jours ! Alex est tellement *cute* de t'avoir offert des billets pour La Ronde ! En passant, c'est *full* normal que tu l'aies invité.

13-04 21 h 27

Tu trouves ? En tout cas, je ne pense pas en parler à Éloi. Surtout pas après la soirée bizarre qu'on vient de passer...

13-04 21 h 27

Je sais. Pauvre petit pit ! Il a essayé de t'impressionner. Je persiste à dire que si vous étiez plus naturels, ça irait mieux.

13-04 21 h 28

Je sais bien, mais on dirait qu'on n'est pas capables et qu'on est un peu pognés quand on est ensemble. Je ne comprends pas ! Il me semble que ce n'était pas comme ça quand on était amis ! Peut-être que c'est parce qu'on n'a pas grand-chose en commun.

13-04 21 h 30

Ben là ! Ça ne veut rien dire ! Regarde moi et JP, ou Steph et Seb ! Et ne viens pas me dire que tu avais grand-chose en commun avec Thomas !

13-04 21 h 32

Tu as raison... C'est peut-être moi qui suis de mauvaise foi. Je l'aime, pourtant ! Résolution pour mes 15 ans : faire un effort pour sourire quand il propose des activités bizarres !

13-04 21 h 34

Je suis fière de ta résolution ! Bon, je te laisse ! Je veux écouter la fin de mon émission. Je suis trop contente pour ton cellulaire ! Bonne fête encore ! JTM !

13-04 21 h 36

C'est bon ! De toute façon, si je continue à ce rythme-là, je vais épuiser tous mes messages gratuits en une seule soirée ! Merci, et j'ai très hâte de recevoir ton cadeau ! ;) xx

Chapitre 5
Pause Kit Kat

Le Blogue de Manu

Inscris un titre : Malaise

Écris ton problème : Salut, Manu ! Des fois, j'ai l'impression que mon chum et moi n'avons pas des tonnes de trucs en commun. On travaille tous les deux pour le journal et on partage la même passion pour l'écriture, mais je crois que ça s'arrête là. Éloi aime les sports extérieurs, l'hiver et les randonnées, tandis que moi, j'aime mieux me balader en ville, magasiner, écouter des films ou de la musique.

J'en ai parlé à mon amie Marilou, et elle m'a fait remarquer que c'était généralement comme ça dans les couples. C'est vrai que mon ex Thomas et moi étions aussi très différents, mais on dirait ça m'affectait moins. Je trouvais même que nos différences permettaient de nous compléter, alors qu'avec Éloi, j'ai peur que ça finisse par nous séparer. Des fois, j'ai même l'impression qu'il y a des malaises entre nous. Aide-moi, s'il te plaît !
Léa xox

Manu répond à deux questions par semaine. Tu seras peut-être choisie...

15-04 10 h 10

Lou ! Je viens de recevoir ton cadeau ! C'est trop cool que tu m'aies offert un étui de cellulaire ! J'en conclus que tu savais que j'allais recevoir un portable, ma petite vlimeuse ! ;)

15-04 10 h 12

Hi ! Hi ! Hi ! ;) Ta mère m'a appelée pour avoir un conseil sur le modèle, et ça m'a donné une idée pour ton cadeau. Je le trouvais *full* beau, cet étui-là !

15-04 10 h 14

Mets-en ! Il est trop cool ! Même les nunuches vont être jalouses ! C'est une super belle idée !

15-04 10 h 16

Je suis contente que tu l'aimes ! Je m'en vais à la piscine. Bonne journée ! Xx

À : Léa_jaime@mail.com
De : Katherinepoupoune@mail.com
Date : Mardi 15 avril, 11 h 19
Objet : *I luv* les congés pédagogiques !

Salut !
Un petit mot pour te dire que j'ai reçu ton message avec ton nouveau numéro de cellulaire. C'est tellement cool que tes parents aient décidé de t'en offrir un ! Tu vas voir, ça va changer ta vie ! ;)

C'est tellement cool d'avoir deux jours de congé, mais ça va être difficile de retourner à l'école demain ! Hier après-midi, Maude m'a téléphoné pour me parler de sa situation avec José. Il paraît qu'il pensait vraiment qu'elle avait commencé à fréquenter Félix, et qu'il lui a fait une déclaration dans ton salon pour qu'ils reviennent ensemble. Apparemment, son petit jeu avec ton frère a fonctionné, et ce qui me fait le plus de peine, c'est qu'elle ne s'est même pas excusée d'avoir rompu sa promesse. J'ai été assez naïve pour croire qu'elle m'appelait pour s'expliquer, pour me demander pardon, et pour me dire que quand il était question de José, elle allait toujours trop loin, mais NON !

Elle est revenue avec lui. Elle n'a aucune considération pour les autres. Elle se fiche de faire de la peine à ses « amies ». Je l'ai écoutée sans rien dire parce que je savais que ça n'allait pas changer les choses.

En m'appelant, elle essayait justement d'atténuer ma frustration en me faisant comprendre que j'avais maintenant le champ libre avec Félix. Je suis *full* déçue. :(

On se voit demain, ma belle ! Profite bien de ton cell, et de notre dernière journée de congé !

Luv,
Katherine

À : Marilou33@mail.com
De : Léa_jaime@mail.com
Date : Vendredi 18 avril, 18 h 42
Objet : Ma première *vraie* chicane !

Lou ! Ça va mal, et j'ai besoin de ton expertise en matière de chicane. Aujourd'hui, j'ai eu ma première *vraie* chicane avec Éloi.

Je sais qu'on a eu quelques malentendus au cours des dernières semaines, mais jamais de grosse dispute comme celle de cet après-midi... et je ne sais pas trop quoi faire.

Tout a commencé ce matin dans le cours d'anglais. Le prof nous a annoncé qu'on devrait faire une présentation orale en équipe de deux. Jeanne m'a tout de suite fait un signe de tête entendu, ce qui m'a grandement soulagée. S'il avait fallu qu'elle se mette avec Maude, Sophie ou Lydia, j'aurais été la fille la plus malheureuse et la plus rejet de la planète ! Mais j'ai maintenant la preuve qu'elle est une amie loyale !

Quand je suis sortie de la classe (pas sans avoir eu droit à un «*Hello, Tomato*» de la part de Maude, qui sort sa blague durant tous les cours depuis ma présentation orale du mois de février), j'ai rejoint Éloi pour lui dire que Jeanne était un exemple de loyauté. Il avait l'air un peu excédé par mon choix de mots. J'avais sérieusement l'impression de lui taper sur les nerfs. À vrai dire, il est impatient avec moi depuis le début de la semaine.

Moi : Ben voyons, pourquoi t'es bête de même ? Je voulais juste souligner le fait que Jeanne était loyale.
Lui (toujours froid) : Je sais, Léa, mais je trouve que tu as le don d'exagérer. Même si elle s'était mise en équipe avec Maude, ça n'aurait pas été la fin du monde.
Moi (en riant nerveusement) : Ben... je sais, mais j'aurais eu de la peine. Jeanne, c'est devenue ma meilleure amie, ici. Mais sérieusement, pourquoi tu es comme ça ? On dirait que tu ne m'endures pas depuis le début de la semaine !
Lui (en éclatant) : Il était temps que tu t'en rendes compte, Léa. On dirait que tu ne réalises pas quand tu fais de la peine aux autres !

Moi (surprise) : Hein ? De quoi tu parles ? Je t'ai fait de la peine ? Quand ça ?
Lui : La journée de ta fête, voyons ! Je sais que tu étais habillée pour faire du sport extrême, mais tu n'avais pas besoin d'avoir l'air bête toute la soirée. Je me sentais tellement poche ! C'est toujours comme ça, quand je te fais des surprises. J'essaie de te faire plaisir et on dirait que je t'empoisonne la vie. T'es jamais contente, Léa Olivier.
Moi (en devenant rouge comme une *tomato* et en haussant le ton) : Mais d'où ça sort, Éloi ? Je voulais juste témoigner de la loyauté de Jeanne et tu m'engueules parce que je n'étais pas habillée convenablement pour un souper chic ?!
Lui (en haussant le ton) : tu m'as blessé Léa. Je suis tanné de faire des efforts et que tu ne sois jamais contente !
Moi (en haussant le ton encore plus fort) : Et moi, je suis tannée de faire des efforts pour être contente pour des affaires qui ne me ressemblent pas ! Je fais mon possible, Éloi, mais ne retourne pas la situation contre moi !
Lui : Et toi, arrête de penser que l'univers est contre toi ! Je m'en fous que Maude et ses amies soient méchantes ! Je suis là, moi ! Et en plus, je suis sûr que tu exagères...
Moi (en criant tellement que les gens autour de nous commençaient à se retourner) : J'exagère ?! C'est TOI qui me dis ça, après tout ce qu'elle m'a fait ?! Si je t'en

parle, c'est justement parce que j'ai confiance en toi et parce que je me suis toujours confiée à toi ! Depuis quand ça t'énerve que je te parle de mes trucs ?
Lui : Moi aussi, j'ai des soucis ! Moi aussi, j'ai des frustrations ! Mais je ne peux pas t'en parler, parce que j'ai tout le temps l'impression de devoir faire mes preuves avec toi !
Moi (en écarquillant les yeux comme s'il venait de m'apprendre qu'il avait attaqué une banque) : QUOI ? Ce n'est pas vrai ! Je me soucie tout le temps de toi ! Et je fais tout pour que tu sentes que je suis bien avec toi ! Et si tu es si malheureux que ça avec moi, pourquoi tu ne m'en as pas parlé avant ?
Lui (en me pointant du doigt) : À cause de ça ! Je savais que tu allais réagir comme ça ! Je suis tanné que tu penses juste à ton petit nombril ! Quand je te parle de mes soucis ou des problèmes qu'on traverse, j'ai l'impression que tu vas toujours tout ramener à toi ! Arrête de jouer la victime, veux-tu ?

Je l'ai regardé sans rien ajouter. J'étais sous le choc. Éloi avait réussi à me blesser. Contrairement à ce que je pensais, il me connaissait assez bien pour me piquer là où ça fait mal. J'ai senti les larmes me picoter les yeux.

Lui (en reprenant son calme) : Écoute, Léa... Je suis pressé. Je crois que cette discussion ne nous mènera nulle part. C'est mieux que j'y aille.

J'étais sciée en deux. Il a tourné les talons et il m'a laissée en plan dans le couloir avant que je ne puisse intervenir. Je sais que je suis égocentrique par moments, mais il n'avait pas besoin d'être aussi méchant pour me le faire comprendre.

Ce qui me blesse encore plus, c'est que je fais des efforts pour que les choses deviennent plus « naturelles » entre nous et que j'avais espoir que tout rentre dans l'ordre malgré nos différences.

Tout ce que je voulais aujourd'hui, c'était lui exprimer à quel point j'étais contente de pouvoir compter sur de bons amis et il m'a fait sentir comme une mégère cinglée !

D'un autre côté, j'admets que je n'ai pas été de tout repos depuis la semaine de relâche, et si ses commentaires m'ont fait autant de peine, c'est probablement parce qu'ils cachent un fond de vérité.

Bref, j'ai besoin de tes savants conseils. Je n'ai vraiment pas envie de faire les premiers pas, mais je n'ai pas non plus envie de passer toute la fin de semaine à me morfondre !

J'ai d'ailleurs opté pour une fin de semaine dans ma bulle. Jeanne viendra chez moi dimanche pour qu'on

puisse travailler sur notre présentation, mais ma vie sociale se limitera à cela. J'ai besoin de toi ! *Help !*
Léa xox

À : Léa_jaime@mail.com
De : Marilou33@mail.com
Date : Samedi 19 avril, 17 h 33
Objet : T'es où ?

La Terre appelle Léa ! Où es-tu ? Pas de réponse chez toi ni sur ton cellulaire ! Est-ce que tu as revu Éloi ?

Comme tu le sais, j'ai toujours été une grande admiratrice d'Éloi, mais là j'avoue qu'il est allé un peu loin, et je te comprends d'être en colère contre lui. Je peux comprendre qu'il se sente inadéquat par moments, mais il n'avait pas besoin d'éclater comme ça pour te le faire savoir ! Il me semble qu'il aurait pu t'en parler avant...

Mais je sais aussi qu'Éloi n'est pas un mauvais gars, et qu'en ce moment, il doit se sentir aussi mal que toi. Je sais qu'il t'a blessée, mais dis-toi que ses paroles ont sûrement dépassé sa pensée. Et tu admets toi-même que tu n'as pas été la blonde la plus attentionnée depuis ton retour en ville, alors dis-toi qu'il avait sans doute accumulé des frustrations, lui aussi !

Bref, je pense que s'il t'appelle tu devrais prendre le temps de l'écouter et de le laisser exprimer son point de vue. Tu devrais aussi lui dire qu'il t'a blessée, et que la prochaine fois, tu préfères qu'il te fasse part de ses frustrations avant d'exploser !

Je te laisse, JP est à la porte. Il vient souper chez moi ce soir. J'espère sincèrement que mes parents ne commenceront pas à lui parler de sexualité ! Donne-moi vite des nouvelles !
Lou

À : Marilou33@mail.com
De : Léa_jaime@mail.com
Date : Dimanche 20 avril, 11 h 10
Objet : De mal en pis !

Salut !
Désolée de ne pas t'avoir répondu hier. La vérité, c'est que j'ai craqué. Vendredi soir, j'ai tout fait pour ne pas appeler Éloi, mais j'ai fini par lui envoyer un texto vers 21 h. Rien de compromettant, juste une petite binette triste. Je m'attendais à une réponse automatique de sa part, mais rien. *Nada. Niet. Nothing.* J'ai attendu une heure, sans succès. J'ai alors réussi à me convaincre que c'était sûrement parce qu'il dormait, ou parce qu'il était tellement bouleversé par notre chicane qu'il voulait prendre le temps de me répondre correctement.

J'ai donc attendu quelques minutes de plus, puis je me suis dit que tant qu'à avoir craqué, aussi bien craquer jusqu'au bout. J'ai signalé son numéro en tremblant. Aucune réponse. J'ai appelé QUATRE fois de suite sans qu'il ne décroche. J'étais en état de panique totale ! J'ai rappelé une cinquième fois, et il a fini par répondre. Comme je m'attendais à ce qu'il soit endormi, tu peux t'imaginer ma (mauvaise) surprise quand j'ai entendu de la musique qui résonnait et des échos de voix de filles qui riaient derrière lui. J'ai tout de suite regretté de l'avoir appelé. Non seulement c'est moi qui avais fait les premiers pas, mais en plus, il était loin de se morfondre dans sa chambre ! Il était visiblement dans un party, l'esprit tranquille et le cœur léger. Comble de malheur : j'ai cru reconnaître le rire de Maude parmi les éclats de voix qui retentissaient derrière lui. Mon cœur battait à tout rompre.

Moi (d'un ton très sec) : T'es où ?
Lui (un peu hésitant, mais encore froid) : Euh... chez José. Il a organisé une petite soirée et je suis venu faire un tour.

J'ai senti des larmes de colère et de tristesse rouler sur mes joues. Non seulement il n'était pas en train de dormir ni de s'apitoyer sur son sort à cause de notre chicane, mais il avait eu la force et l'énergie de se rendre dans un party de nunuches auquel je n'avais apparemment pas été invitée. J'éprouvais un mélange d'envie et de dégoût. Je me sentais trahie et extrêmement seule. J'avais l'impression que la seule personne sur qui je pouvais vraiment compter était en train d'intégrer le camp ennemi.

Lui : Allo ? T'es là ?
Moi : Ouais... Disons que je suis un peu surprise que tu aies le cœur à t'amuser après la dispute qu'on a eue aujourd'hui. Tu aurais pu m'appeler, non ?

Je l'ai entendu s'éloigner de la pièce où les gens étaient réunis. Il ne voulait sûrement pas qu'ils se rendent compte que j'étais encore en train de sauter ma coche. J'ai cru entendre la voix de Jeanne parmi les échos derrière lui. Mon cœur s'est resserré un peu plus. J'étais officiellement devenue la pire des rejets.

Lui : Écoute, Léa... Je ne sais pas trop ce que tu attendais de moi, mais je ne suis pas trop du genre à me morfondre toute la soirée parce que tu me fais une crise. Si tu m'avais appelé plus tôt, on aurait pu se rejoindre pour en rediscuter, mais là, je ne crois pas que ce soit le meilleur moment pour ça. Comme je n'avais pas de tes nouvelles, j'ai eu envie de venir ici pour me changer les idées.
Moi : Te changer les idées avec les nunuches ?
Lui : Arrête, Léa ! Je n'ai jamais eu de problèmes avec ces filles-là, moi ! J'avoue que Maude n'est pas un

ange, mais ce n'est pas une raison pour la boycotter. Sérieusement, je trouve que tu exagères !
Moi (en sanglotant) : Ce n'est pas vrai ! Ce n'est pas juste de ma faute ! Je suis peut-être un peu lourde par moments, mais là, c'est toi qui as décidé de mettre de l'huile sur le feu en allant dans un party avec elles !
Lui : Je ne suis pas dans un party avec elles, je suis dans un party dans lequel elles sont invitées ! Et je trouve que tu es mal placée pour faire une crise de jalousie ! Après tout, c'est *toi* qui es devenue *best* avec ton ex !
Moi : Je ne serais jamais amie avec Alex si je sentais qu'il te faisait de la peine ou qu'il ne te respectait pas ! Alex, c'est aussi ton ami ! Ça n'a rien à voir avec les nunuches qui ont toujours été *bitch* avec moi !
Lui : Écoute, ce n'est vraiment pas l'endroit pour parler de ça. Est-ce qu'on peut en discuter un autre jour ?
Moi (en sanglots et à court d'arguments) : Comme tu veux !

J'ai raccroché, puis je me suis jetée sur mon lit pour pleurer toutes les larmes de mon corps. Je n'arrivais pas à y croire. Je me sentais abandonnée et seule au monde. Toutes les personnes sur qui je pouvais compter se trouvaient dans un party chez des gens qui ne pouvaient pas me sentir. Je n'avais pas été invitée chez José, ni par Jeanne, ni par Katherine, ni par Alex, ni par Éloi. J'ai fini par m'endormir dans mes larmes, et je me suis réveillée hier matin avec une boule dans l'estomac.

Je n'avais pas envie de parler à quiconque, et encore moins aux gens de ma nouvelle école. Tu vas peut-être me dire (comme Éloi) que j'exagère, mais je me sentais tellement seule, Lou, que j'avais juste envie de prendre l'autobus et de venir te rejoindre. J'avais envie de me retrouver dans mon vrai chez moi entourée de gens qui m'aiment vraiment. Et je sais que c'est niaiseux, mais ma tristesse m'a fait penser à Thomas. C'est comme si ma rechute psychologique avait entraîné une rechute amoureuse. J'ai eu envie de retourner à notre école, de reprendre ma vie là-bas et de le retrouver. Ne me juge pas, OK ? Je pense que c'est normal, parce que je perçois un peu Thomas comme une bouée de sauvetage. C'est mon premier amour, et ce n'est pas quelque chose qui s'oublie facilement. (Du moins, c'est ce que ma mère me répète tout le temps !) C'est pour cette raison que j'ai eu un petit pincement au cœur quand j'ai lu son courriel pour ma fête. Je sais que tu penses qu'il me manipule, mais, au fond, je comprends ce qu'il me dit, parce que je ressens la même chose pour lui. Je ne suis plus « amoureuse » de lui, mais j'éprouve beaucoup de tendresse et de nostalgie quand je pense à notre relation, d'autant plus que je l'associe à mon ancien chez-moi. Est-ce que tu crois qu'un jour, on arrive vraiment à oublier les gars qu'on a aimés ? J'ai eu un doute, et ça m'a déprimée encore plus.

Je m'apprêtais à sombrer une fois de plus dans les larmes quand ma mère a frappé à ma porte. Elle a sursauté en me voyant étendue sur mon lit, entourée de vieux mouchoirs.

Moi (en me relevant sur mes coudes) : Je suis si laide que ça ?
Ma mère : Ben non, ma puce ! (Je tolère uniquement qu'elle m'appelle sa « puce » quand je suis au bord du désespoir !) Mais on dirait que t'as pleuré... Ça va ?

Dès que ma mère m'a demandé si j'allais bien, j'ai éclaté en sanglots. La voix de ma mère a souvent cet effet-là quand j'ai le cœur gros.
Moi : NOOOON ! Je me suis chicanée avec Éloi... Et je me sens toute seuuuuule ! Je veux retourner chez nous !

Ma mère m'a prise dans ses bras, ce qui a eu pour effet d'augmenter l'intensité de mes larmes. Je me suis mouchée, puis j'ai fini par lui raconter l'histoire entre trois sanglots.

Ma mère : Ce que je te suggère, c'est de laisser retomber la poussière un peu. Si tu reparles à Éloi tout de suite, vous allez éclater. C'est mieux que tu te calmes... Je pense que ça t'aidera à voir les choses différemment.
Moi : Genre que je ne me verrai plus comme la pire des rejets ?

Ma mère : Mais tu n'es pas la pire des rejets, ma puce ! Tu t'es déjà fait plein d'amis, ici. Et c'est normal qu'ils se voient parfois sans que tu sois là, car ça fait des années qu'ils se connaissent. Tes amis n'ont sûrement pas voulu t'inviter puisqu'ils savaient que les filles avec qui tu t'entends moins bien risquaient d'y être aussi, mais ça ne veut pas dire qu'ils ne tiennent pas à toi ! Et Éloi avait peut-être juste envie de se changer les idées après votre dispute, mais ça ne veut pas dire que ça ne l'affecte pas !

Ses paroles m'ont calmée, un peu. Elle m'a suggéré de me laver (en d'autres mots, de faire disparaître mon visage bouffi et mes yeux rouges) et de m'habiller en vitesse pour qu'on aille bruncher et « faire du magasinage thérapeutique » (c'est son expression, mais je la trouve très cool).

Heureusement qu'elle était là pour moi. Tu avais raison : c'est vrai que c'est cool de pouvoir compter sur ma mère !

J'ai fermé mon cellulaire et j'ai passé la journée à me changer les idées. Hier soir, on s'est fait une fondue tous les quatre et on a écouté un film en famille. Je pense que c'est exactement ce dont j'avais besoin. Même Félix était gentil avec moi (ma mère lui a sûrement dit de me ménager). Quand j'ai rouvert mon cellulaire avant de me mettre au lit, j'ai vu que j'avais reçu deux messages textes de Éloi. Le premier disait: « Pourquoi tu ne réponds pas ? Il faudrait qu'on parle... », et le deuxième : « Je suis triste, moi aussi. » J'ai compris qu'il avait sûrement essayé de m'appeler, mais je n'avais pas la force de le rappeler. J'étais un peu soulagée de voir que je n'étais pas la seule à avoir de la peine. Je me suis endormie comme une bûche (les larmes sont un excellent remède contre l'insomnie) et je gosse depuis ce matin devant le téléphone. On dirait que je n'ai pas le courage de rappeler Éloi. Premièrement, je ne sais pas trop quoi ajouter à ce que je lui ai dit, et deuxièmement, j'ai un peu peur de ce qu'il veut me dire.

« Il faudrait qu'on parle. » Ce n'est pas trop optimiste, non ? Et s'il me laissait parce qu'il me trouve trop intense, lui aussi ? Je sais que je dois l'affronter un jour ou l'autre, mais je n'ai pas tellement envie de le faire tout de suite...

Jeanne devrait être ici vers 13 h pour que l'on prépare notre présentation d'anglais. Finalement, je pense que je vais essayer de lui parler un peu de ce qui s'est passé. Ma mère m'a dit que ça me ferait du bien de me confier à quelqu'un d'ici, et que ça me permettrait sans doute de me rapprocher d'elle.
Merci d'avoir lu ma longue histoire ! Je t'écris la suite sous peu !
Léa xox

À : Léa_jaime@mail.com
De : Jeanneditoui@mail.com
Date : Dimanche 20 avril, 20 h 22
Objet : Je suis là !

Coucou !
Je voulais juste m'assurer que tu allais mieux. Je suis contente que tu m'aies raconté ce qui s'était passé avec Éloi, et je comprends vraiment que tu te sentes seule par moments, mais je tenais à ce que tu saches que tu peux toujours compter sur moi quand ça ne va pas. La prochaine fois, je tiens à ce que tu m'appelles, OK ? Et encore désolée pour le party de vendredi. Je te jure que si je ne t'en ai pas parlé, c'est simplement parce que je savais que Maude, Marianne, Sophie et Lydia allaient y être et que tu n'aurais sûrement pas envie de m'accompagner. En plus, je ne m'attendais pas à ce qu'Éloi y aille sans toi. La prochaine fois, je te dirai tout, même si c'est un party plate chez Maude ! ;)

Je t'embrasse et on se voit demain !
Jeanne
Xxx

P.-S. : Je sais que tu ne voulais pas appeler Éloi ce soir, mais si jamais tu changes d'avis et que ça ne va pas, tu n'as qu'à me texter un 9-1-1 et je te rappelle tout de suite ! :)

Lundi 21 avril

16 h 14

Léa (en ligne): Lou ? T'es là ? S.O.S. ! Il faut que je te parle !

16 h 16

Marilou (en ligne): Je suis là ! Je t'ai envoyé un message texte un peu plus tôt pour avoir de tes nouvelles, mais tu ne m'as jamais répondu !

16 h 17

Léa (en ligne): Je sais. C'était trop long à expliquer par textos. Ça ne va pas du tout, Lou ! Éloi a pris un *break* !

16 h 18

Marilou (en ligne): Ça veut dire quoi, ça ?

16 h 18

Léa (en ligne): Genre une pause de nous et de moi !

16 h 19

Marilou (en ligne): QUOI? Et pourquoi une pause? Il voulait te punir? Pourquoi il n'a pas cassé tant qu'à y être? Raconte!

16 h 22

Léa (en ligne): Ce matin, il est venu me voir avec un air piteux et il m'a demandé de l'attendre après l'école pour qu'on parle. Disons que je commençais à avoir un mauvais pressentiment. Ce midi, on avait une rencontre avec l'équipe du journal, ce qui m'a permis de ne pas trop focaliser là-dessus. Après les cours, on a marché ensemble jusqu'au parc à côté de l'école, et c'est là qu'il a commencé à vider son sac.

16 h 23

Marilou (en ligne): Qu'est-ce qu'il t'a dit exactement?

16 h 33

Léa (en ligne): Je te rapporte la conversation telle que je m'en souviens:

Éloi : Écoute, Léa... Je suis un peu mélangé en ce moment. Je trouve que les choses ont changé depuis que tu es revenue de la semaine de relâche. On se chicane plus...
Moi (en l'interrompant) : De quoi tu parles ? ! On ne se chicane jamais ! On s'est chicanés pour la première fois vendredi !
Éloi : On s'obstine plus, alors. Et je ne sais pas... On dirait que tu n'es jamais contente de ce que je t'offre... et que je ne te rends pas heureuse.
Moi (je commençais à pleurer un peu parce que je voyais où il voulait en venir) : Ce n'est pas vrai, ça ! Et regarde la chaîne que tu m'as donnée la semaine passée ! Je la porte tout le temps parce que je l'aime et qu'elle me fait penser à toi. Tu me rends heureuse !
Éloi : C'est drôle, parce que la chaîne, ce n'est même pas moi qui l'ai choisie ! Je suis allé magasiner avec Alex. Moi, je voulais t'acheter un parfum, mais il m'a dit que la chaîne était plus ton style. C'est ironique, parce que la seule chose qui t'ait sincèrement fait plaisir depuis le début de notre relation ne vient même pas de moi !
Moi (en larmes) : Mais on s'en fout qu'Alex t'ait aidé ! L'important, c'est que tu aies pensé à moi ! Et je suis tout le temps contente quand tu me proposes des idées qui sortent de l'ordinaire !

Éloi : Ne dis pas ça ! Chaque fois que je suggère des activités ou que je te prépare des surprises, tu me fais une face de bœuf et tu me fais comprendre que ce n'est vraiment pas ton style ! Des fois, je me demande si tu ne serais pas mieux avec quelqu'un d'autre...
Moi : NON ! C'est avec toi que je veux être ! C'est vrai que ça ne va pas super bien depuis quelques jours, mais je suis sûre qu'on peut arranger ça ! Est-ce que c'est ma crise de l'autre jour qui te fait réagir comme ça ? Je m'excuse, alors ! Je sais que tu avais accumulé beaucoup de frustrations, mais si tu ne me laisses pas la chance de te prouver que je suis bien avec toi, c'est sûr que ça ne marchera pas !
Éloi : Je comprends, Léa, mais je ne sais pas si j'ai la force de continuer comme ça. Des fois... j'ai l'impression que tu n'es pas bien avec moi. On dirait que tu as la tête ailleurs, et que tu ne m'aimes pas vraiment comme je suis. Ça ne me fait pas sentir super bien, tu vois ? Je trouve que notre relation est devenue trop compliquée.
Moi (en devenant un peu hystérique) : Où veux-tu en venir ? Tu veux casser ?
Éloi (en me prenant les mains, les yeux pleins d'eau) : Non... Je... Je ne sais pas. Je ne veux pas te perdre, mais je suis mélangé. Peut-être qu'on devrait prendre un *break*.

Moi: Un *break*? Genre une pause de notre relation?
Éloi: Ouin... Une petite pause pour laisser retomber la poussière. J'ai besoin de réfléchir à tout ça.

16 h 34

Marilou (en ligne): Mais ça veut dire quoi, une pause? Ça va durer combien de temps? Est-ce que c'est genre une pause Kit Kat de quelques minutes ou est-ce qu'il compte te faire endurer ça pendant des semaines? Et ça donne quoi à part te faire souffrir plus longtemps et te forcer à l'attendre sans rien te promettre? Et s'il finissait par te laisser et que ça ne donnait rien?

16 h 37

Léa (en ligne): Je ne sais pas. Je n'avais plus la force de poser des questions. J'étais tellement triste et sous le choc que j'ai hoché la tête et je suis partie. Il va sûrement penser que je suis folle, et ajouter ça à la liste des raisons pour lesquelles il ne devrait plus être avec moi. ☹ Je me console en me répétant qu'il n'a pas cassé officiellement. Ça veut sûrement dire que j'ai encore une chance, non?

16 h 38

Marilou (en ligne) : La question à te poser, c'est plus si tu as envie de rester avec lui… Est-ce que tu l'aimes encore ?

16 h 39

Léa (en ligne) : Oui, je l'aime. Ce n'est pas aussi intense qu'avec Thomas, mais je ne veux pas le perdre. C'était mon meilleur ami avant qu'on sorte ensemble et je ne sais pas ce que je ferais sans lui. Je me sentirais tellement seule, Lou. ☹ Je ne sais pas quoi faire. Est-ce que je devrais l'appeler ?

16 h 40

Marilou (en ligne) : Surtout pas ! Il veut du temps, alors c'est important que tu lui laisses son espace. Tu dois jouer à l'indépendante si tu veux le ravoir. Pas question que tu reviennes vers lui en courant !

16 h 42

Léa (en ligne): Ouin... Tu as peut-être raison, mais en même temps, il m'a fait comprendre que je ne lui faisais pas sentir qu'il me rendait heureuse... Peut-être qu'il s'attend à ce que je lui fasse une déclaration pour le rassurer ?

16 h 43

Marilou (en ligne): Mais il t'a aussi dit qu'il trouvait votre relation trop compliquée et qu'il avait besoin de temps pour réfléchir. Ce n'est vraiment pas clair, son affaire !

16 h 44

Léa (en ligne): Je sais ! Mais je suis censée faire quoi, moi ?

16 h 46

Marilou (en ligne): Je sais que c'est difficile, mais tu dois être forte et faire un peu comme s'il n'existait pas. Tiens-toi avec Jeanne ou Annie-Claude le midi et fais les choses de ton bord pour qu'il s'ennuie de toi et qu'il revienne en rampant ! Mouahaha ! (C'est un rire machiavélique)

16 h 48

Léa (en ligne): Hum... Et je suis censée tenir combien de temps comme ça, sans savoir si j'ai un chum ou non?

16 h 49

Marilou (en ligne): Donne-lui jusqu'à la semaine prochaine. Si les choses n'ont pas évolué, alors on songera à le relancer, OK?

16 h 51

Léa (en ligne): Ouin, OK. ☹ Je suis tellement triste. J'ai l'impression d'avoir agi comme une folle et de l'avoir fait fuir.

16 h 52

Marilou (en ligne): Mais non, ma belle! C'est vrai que ça battait de l'aile depuis quelque temps, mais tu n'as pas agi comme une folle. Je suis sûre qu'il va vite réaliser que tu lui manques et qu'il va revenir vers toi.

16 h 54

Léa (en ligne): Merci!;) Je vais aller voir Félix. Comme il connaît Éloi, il pourra peut-être m'aider à mieux comprendre ce qui se passe.

16 h 55

Marilou (en ligne): OK... Mais tu restes forte, hein? Et si tu penses craquer, appelle-moi tout de suite!

16 h 55

Léa (en ligne): OK. Merci! Xx

À : Thomasrapa@mail.com
De : Léa_jaime@mail.com
Date : Mardi 22 avril, 19 h 44
Objet : Question

Salut, Thomas
Tout d'abord, je voulais te remercier pour ton courriel de fête. Je sais que c'est bizarre de te répondre genre dix jours après, mais sur le coup, je ne savais pas trop quoi dire, et on dirait que je préférais éviter de te parler.

Je t'écris aussi parce que j'ai une question à te poser. Je sais que la distance n'a pas aidé notre relation, et que les choses auraient peut-être été différentes si je n'avais pas déménagé, mais est-ce que tu as cassé avec moi en partie parce que tu me trouvais trop intense ? Crois-tu que j'ai tout gâché en me compliquant trop la vie ? Sois honnête, s'il te plaît. J'ai besoin de mieux comprendre...

À bientôt,
Léa xox

À : Léa_jaime@mail.com
De : Thomasrapa@mail.com
Date : Mardi 22 avril, 20 h 42
Objet : Re : Question

Salut !
Tu ne sais pas à quel point je suis content que tu me répondes, même si c'est dix jours en retard !

Pour ce qui est de ta question, je ne sais pas qui t'a mis dans la tête que tu avais un problème et que tu étais trop intense, mais c'est faux. J'ai cassé parce que je savais que notre relation n'était pas possible, et parce que je voulais que tu sois heureuse à Montréal sans toujours rester accrochée à un gars de chars qui ne quittera sûrement jamais son patelin (moi), mais je t'aimais vraiment, Léa. Tu es l'une des filles les plus cool et les plus spéciales que j'ai rencontrées dans ma vie, alors ne doute surtout pas de toi.
Thomas

À : Léa_jaime@mail.com
De : Katherinepoupoune@mail.com
Date : Jeudi 24 avril, 20 h 22
Objet : Je ne comprends pas les gars !

Coucou,
Comment vas-tu, ce soir ? Je sais que tu ne filais pas trop cet après-midi, mais je voulais te dire que je te trouve très forte de ne pas craquer et de ne pas aller voir Éloi en pleurant. Je sais que tu m'avais dit la même chose après toute l'histoire de Félix, mais tu n'as rien à envier à personne !

En attendant, que dirais-tu de venir chez moi samedi soir avec Jeanne ? Rien de tel qu'une soirée de filles pour te remonter le moral !

Luv,
Katherine

À : Léa_jaime@mail.com
De : Marilou33@mail.com
Date : Vendredi 25 avril, 18 h 44
Objet : Pour te remonter le moral

Coucou !
Je sais que tu as un peu le moral à plat depuis lundi, mais j'ai une petite histoire honteuse à te raconter, qui, je l'espère, saura te faire sourire.

Ce matin, je descendais l'escalier entre deux cours avec JP quand nous avons croisé Sarah. Elle portait une sorte de turban qui lui cachait les cheveux.

JP : Salut, Sarah !
Sarah (en prenant soin de ne pas me regarder dans les yeux) : Salut, JP. Je voulais justement te parler. J'organise un barbecue chez moi demain soir avec quelques amis, et je voulais vous inviter, Steph, Seb et toi. Je pense que ça ferait plaisir à Thomas si vous veniez.

Il y a eu un moment de silence inconfortable. Pour une fois, JP était témoin de l'attitude mesquine de Sarah, qui voulait vraiment me faire comprendre que je n'étais pas invitée à son barbecue. Au lieu de m'emporter, j'ai observé son turban, et j'ai remarqué de petites mèches de cheveux roses qui s'en échappaient. Je n'ai pas pu me retenir.

Moi : T'as encore changé de look ? Je pensais que tu étais punk ou hippie, mais je ne savais pas que tu étais aussi une gitane.
Sarah : Le morceau de brocoli qui est coincé dans tes broches, c'est pour s'agencer avec ta jupe ?

J'ai regardé JP avec des fusils dans les yeux. Comment avait-il pu me laisser marcher dans l'école sans me dire que j'avais un morceau de bouffe coincé entre les dents ! J'avais trop honte pour rouvrir la bouche.

Sarah (en souriant d'un air satisfait) : Alors, JP ? Tu vas venir ou pas ?
JP : Désolée, Sarah, mais j'avais déjà prévu passer une soirée avec Marilou samedi. Et il n'est pas question que je me pointe à ton barbecue si elle n'est pas invitée.

Wow ! J'étais tellement contente ! JP se portait enfin à ma défense. Nous avons échangé un regard complice, puis nous avons poursuivi notre chemin. Je sais que j'aurais pu m'arrêter là, mais je n'ai pas pu m'empêcher d'ajouter quelque chose.

Moi (en n'ouvrant pas trop la bouche pour ne pas révéler mon brocoli) : Et si ton turban est censé cacher ta teinture rose bonbon, c'est raté !

JP m'a tirée par le bras et m'a sermonnée pendant cinq minutes. Il dit que je ne devrais pas entrer dans son jeu, que je devrais être au-dessus de tout ça et que tout le monde devrait vivre en harmonie. C'est bien beau, sa théorie, mais aux dernières nouvelles, on n'habite pas dans le monde des Calinours !

J'espère que j'ai réussi à te faire sourire ! Non seulement Sarah a les cheveux roses, mais j'ai officiellement vécu mon premier épisode public de légume coincé dans les broches !

Et toi ? As-tu reparlé à Éloi ? As-tu des nouvelles ? Tu tiens bon ? Écris-moi ! Je n'ai pas de nouvelles depuis mercredi soir et je m'inquiète !
Lou xox

À : Marilou33@mail.com
De : Léa_jaime@mail.com
Date : Dimanche 27 avril, 09 h 53
Objet : Je suis là !

Excuse-moi de ne pas t'avoir répondu avant. As-tu reçu le texto que je t'ai envoyé hier ? Je te disais simplement que j'étais encore vivante, et que j'essayais de m'occuper le plus possible pour éviter de penser à Éloi.

On s'est croisés toute la semaine sans se dire un mot. Au début, j'évitais même de le regarder dans les yeux, et je m'arrangeais pour le voir le moins possible en organisant des lunchs au café avec Annie-Claude ou Jeanne, mais jeudi, je suis tombée nez à nez avec lui en sortant de mon cours de maths. J'ai levé mes yeux vers lui et j'ai vu la tristesse dans son regard. Il avait l'air tellement anéanti en me voyant que ça m'a un peu remonté le moral. Je sais que ce n'est pas *full* sain, mais ça me fait du bien de savoir qu'il a autant de peine que moi.

Mais ma satisfaction s'est rapidement transformée en colère. Je comprends qu'il ait de la peine, mais en même temps, c'est lui qui a exigé une pause, et c'est lui qui nous a mis dans cette situation-là. Je n'ai jamais eu mon mot à dire et il ne s'est jamais trop démené pour m'expliquer ce qui se passait dans sa petite tête.

J'ai donc demandé à Jeanne d'essayer de lui soutirer des informations pour m'aider à comprendre et pour me faire tenir bon, parce que j'étais sur le point de craquer et d'aller le voir pour obtenir une réponse de lui. Hier, elle m'a dit qu'Alex lui avait dit qu'Éloi lui avait dit qu'il pensait que je ne l'aimais pas vraiment, et que je cherchais des chicanes pour le pousser à casser avec moi. Encore une fois, j'admets que je ne suis pas toujours la fille la plus facile à vivre, mais je n'ai jamais cherché à ce qu'il me laisse.

Je suis toujours aussi perdue, parce que je ne sais pas s'il veut que je lui prouve que je l'aime, ou s'il préfère que je lui laisse son espace. Ça fait déjà six jours que j'endure le statu quo et je commence vraiment à manquer de patience! Comme tu m'avais suggéré de tenir bon pendant une semaine, j'ai décidé que demain j'irais le voir pour qu'on discute et pour en avoir le cœur net. Je ne peux pas rester dans l'attente indéfiniment. Je veux savoir combien de temps je suis censée l'attendre et rester dans l'incertitude. Sa pause Kit Kat a assez duré ! ;)

Pour le reste, je survis et j'essaie vraiment de me distraire. La preuve : j'ai même décidé d'accompagner Félix et un de ses amis à un spectacle de hip-hop vendredi. Il faut vraiment que je sois désespérée pour suivre mon frère dans des trucs du genre ! La vérité, c'est que j'essayais aussi de lui soutirer des informations (il est son *bro*, après tout), mais ça ne m'a avancée à rien, parce que chaque fois que j'essayais d'obtenir des détails sur l'état d'esprit d'Éloi, il renchérissait avec une question sur Katherine.

Moi : Sais-tu si Éloi a de la peine ?
Lui : Je te le dis si tu me dis si Katherine pense encore à moi.
Moi : Sais-tu ce qu'il veut que je fasse ?
Lui : Je te le dis si tu me dis ce que Katherine voudrait que je fasse.
Moi : Sais-tu si au fond, il espère que je le reconquiers ou s'il préfère attendre d'être sûr de ce qu'il veut ?

Lui : Je te le dis si tu me dis si Katherine préfère que je passe à l'acte ou si elle a encore besoin de temps.

J'ai fini par abandonner et j'ai essayé de me concentrer sur le spectacle (plate) de hip-hop. Samedi, je suis allée chez Katherine (évidemment, Félix a offert de m'y conduire dans l'espoir de la voir) pour écouter des films de filles avec Jeanne, mais j'avais de la misère à me concentrer sur l'écran. Aujourd'hui, je dois pratiquer ma présentation orale d'anglais de vendredi. Une chance que cette fois-ci, je peux compter sur Jeanne pour m'aider ! *The tomato has a friend !* ;)

Merci pour l'épisode à propos de Sarah et toi ! Tu dois faire promettre à JP de t'observer les broches et te prévenir en cas d'incident alimentaire. Pour ce qui est de l'autre, penses-tu qu'elle a vraiment teint ses cheveux en rose ? Il me semble que c'est risqué, comme look ! Penses-tu que Thomas la trouve bizarre de changer de style tous les jours ? En tout cas, je suis pas mal fière de ta répartie, même si JP t'a fait un discours sur l'importance de faire preuve de maturité dans la résolution de conflits ! ;)

Parlant de JP, je suis trop contente de voir qu'il s'est porté à ta défense et qu'il a été solidaire jusqu'au bout. Tu lui donneras un gros bec de ma part !
Léa xox

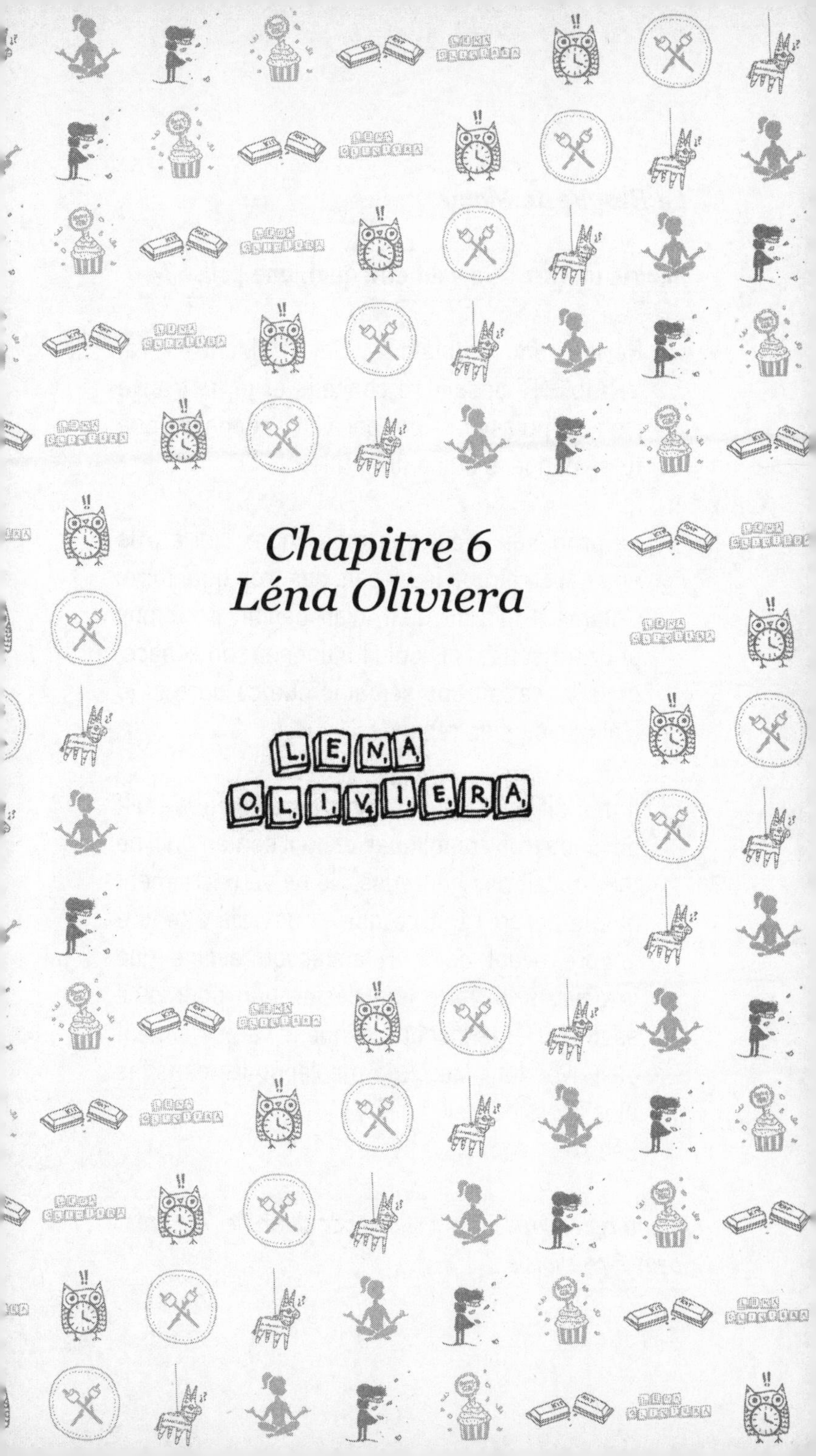

Chapitre 6
Léna Oliviera

Le Blogue de Manu

Inscris un titre: Ça veut dire quoi, une pause?

Écris ton problème: Salut, Manu! J'ai VRAIMENT besoin de conseils et je ne trouve rien qui puisse m'aider parmi les réponses que tu as données aux autres filles.

Le problème, c'est que mon chum Éloi a pris une pause et que je ne sais pas trop quoi faire. Comme il m'a dit qu'il avait besoin de temps pour réfléchir, j'ai voulu lui donner son espace, mais là, ça fait une semaine que ça dure et je n'ai pas plus de réponses.

Il m'a dit qu'il trouvait que notre relation était devenue trop compliquée et qu'il sentait qu'il ne me rendait pas heureuse. Je ne veux vraiment pas le perdre! Est-ce que je devrais attendre encore avant de le relancer ou est-ce que je devrais lui faire une déclaration pour qu'il sache qu'il me manque et que je veux vraiment être avec lui? Merci de me répondre dans les plus brefs délais!
Léa xox

Manu répond à deux questions par semaine. Tu seras peut-être choisie...

28-04 12 h 11

Lou ! Je t'écris des toilettes. J'ai les yeux bouffis et je ne veux pas qu'on me voie ! ☹

28-04 12 h 12

Ah, non !! Qu'est-ce qui se passe ?

28-04 12 h 14

Je suis allée voir Éloi avant de dîner parce que je n'arrivais plus à endurer le suspense. Je lui ai demandé combien de temps ça allait durer et ce qu'il attendait de moi.

28-04 12 h 15

Je comprends. Il a répondu quoi ?

28-04 12 h 16

Qu'il n'avait pas plus de réponses parce qu'il doutait encore que je sois bien avec lui, et qu'il avait peur que les choses empirent entre nous et que ça brise même notre amitié ! Pourquoi il ne casse pas complètement, tant qu'à ça ? ! Je trouve ça *full* difficile d'être dans l'attente !

28-04 12 h 17

Je comprends ! Il commence à me taper sur les nerfs ! Lui as-tu demandé pourquoi il ne cassait pas ?

28-04 12 h 18

Oui ! Il m'a dit qu'il n'arrivait pas à le faire, que ce n'était pas juste sa décision et qu'il attendait un signe... QUEL SIGNE ?

28-04 12 h 19

Je ne sais pas... Il faudrait demander à Sarah Beaupré ! ;) As-tu pensé lui faire une déclaration pour le rassurer et pour qu'il comprenne que tu veux vraiment être avec lui ?

28-04 12 h 21

Je lui ai déjà tout dit ! Mais on dirait que ce n'est pas assez ! :(Merde, il y a des filles de secondaire 5 qui viennent d'entrer et qui me regardent croche. Je t'écris plus tard.

28-04 12 h 11

OK... Je pense à toi. Et n'aie pas peur de lui dire ce que tu ressens vraiment !
Xx

À : Léa_jaime@mail.com
De : BloguedeManu@mail.com
Date : Lundi 28 avril, 15 h 02
Objet : Félicitations !

Chère Léa,
Nous avons la joie de t'annoncer que tu as été sélectionnée parmi les cinq participantes les plus actives sur le *Blogue de Manu* ! Pour te remercier de ta loyauté, nous t'invitons à enregistrer oralement une question qui sera mise en ligne sur le site du *Blogue de Manu* ! Celui-ci se fera un plaisir d'y répondre !

Je t'invite à te rendre à l'adresse suivante dans les plus brefs délais pour y enregistrer ta question.

www.bloguedemanu.com/enregistretaquestion

Tu n'as qu'à appuyer sur la touche « en marche » avant de poser la question de ton choix à Manu. L'enregistrement doit être d'une durée de moins de vingt secondes, et tu as jusqu'au mardi 29 avril, 17 h, pour nous l'envoyer ! Dans le cas contraire, nous serions contraints d'offrir cette occasion à quelqu'un d'autre. La réponse de Manu sera mise en ligne dès 9 h, le jeudi 1er mai !

Au plaisir de t'entendre !
L'équipe du *Blogue de Manu*

À : Marilou33@mail.com
De : Léa_jaime@mail.com
Date : Lundi 28 avril, 18 h 30
Objet : JE CAPOTE !

LOU !! Sais-tu ça fait combien de semaines et de mois que j'écris à Manu dans l'espoir qu'il me réponde ? Eh bien là, non seulement j'ai eu droit à une réponse, mais en plus, j'ai été sélectionnée parmi les cinq plus motivées de son blogue pour enregistrer une question qui sera mise en ligne sur son site et à laquelle Manu répondra par écrit ! Je capote ! Ma seule crainte, c'est que je dois faire un enregistrement vocal et que tout le monde pourra l'entendre ! Je vais donc changer mon nom pour m'assurer que personne ne me reconnaisse. Je pourrai enfin avoir un conseil d'expert à propos d'Éloi ! Je commençais tellement à désespérer, en plus ! Je capote ! J'ai jusqu'à demain 17 h pour envoyer ma question, mais je pensais faire ça tout de suite pour être sûre qu'ils la reçoivent dans les plus brefs délais !

Je te tiens au courant ! Ma question devrait être en ligne dès mercredi matin, alors tu pourras m'écouter. Lol ! Mais ne le dis à personne, je ne veux pas que nos amis me reconnaissent.

Je suis trop contente !
Léa xox

Lundi 28 avril

20 h 14

Jeanne (en ligne): Salut! Es-tu occupée? Est-ce que je peux t'appeler pour qu'on pratique notre présentation ou aimes-tu mieux attendre demain?

20 h 16

Léa (en ligne): Salut! Est-ce que ça te va si on fait ça demain après l'école? Ils annoncent super beau, alors on pourrait même pratiquer dans le parc!

20 h 17

Jeanne (en ligne): Ouais! Bonne idée! Et je comprends que tu n'aies pas trop la tête à ça... Toujours pas de nouvelles d'Éloi?

20 h 17

Léa (en ligne): Non, mais j'ai enfin reçu une bonne nouvelle, et je crois que ça m'aidera à faire bouger les choses...

20 h 18

Jeanne (en ligne) : OH ! Je veux des détails !

20 h 18

Léa (en ligne) : Seulement si tu me promets de n'en parler à personne ! Et surtout pas à Maude et à sa petite gang ! C'est *full* personnel.

20 h 19

Jeanne (en ligne) : Promis ! Tu peux me faire confiance ! ☺

20 h 20

Léa (en ligne) : Tu sais, je t'ai déjà parlé du *Blogue de Manu*, le site où je me confie des fois et où l'on peut poser des questions pour que Manu nous réponde ?

20 h 21

Jeanne (en ligne) : Oui, oui ! Je connais ! Quoi ? Tu as enfin été choisie ? Il a répondu à ta question ?

20 h 23

Léa (en ligne): Mieux encore! J'ai été sélectionnée parmi ses fans les plus loyales, et j'ai le droit d'enregistrer une question qui sera mise en ligne sur son site, et Manu y répondra! J'ai tellement besoin de conseils à propos d'Éloi que j'ai vraiment espoir que ça aidera à faire bouger les choses!

20 h 24

Jeanne (en ligne): Trop cool! Et ce sera un enregistrement sonore? Genre avec ta voix?

20 h 25

Léa (en ligne): Oui! Et Manu me répondra par écrit. Je suis *full* excitée! Je prépare ma question depuis tantôt (ça doit faire moins de vingt secondes à enregistrer) mais là, je pense que je suis prête.

20 h 26

Jeanne (en ligne): Veux-tu me dire ta question?

20 h 29

Léa (en ligne): « Salut, Manu ! Je m'appelle XYZ (je vais changer mon nom). Le problème, c'est que mon chum a pris une pause de notre relation parce qu'on se chicanait et qu'il pensait que je n'étais pas vraiment bien avec lui, et je ne sais pas trop quoi faire pour le ravoir. Il me manque beaucoup, mais je ne sais pas si je devrais lui laisser un peu plus de temps, ou alors lui faire comprendre que je l'aime vraiment et que je veux être avec lui. Réponds-moi s'il te plaît ! »

Ça me prend 20 secondes tapantes ! Je m'apprêtais justement à l'enregistrer !

20 h 31

Jeanne (en ligne): Wow ! Je pense que c'est complet ! Bonne chance, et tu me diras ce qu'il te conseille ! J'espère vraiment que ça va t'aider !

20 h 32

Léa (en ligne): Merci ! À demain !

À : Léa_jaime@mail.com
De : Marilou33@mail.com
Date : Mardi 29 avril, 7 h 31
Objet : Chanceuse !

WOW ! Il fallait absolument que je t'écrive avant de me rendre à l'école pour te féliciter. C'est trop cool que Manu t'ait choisie ! J'espère que ses conseils vont t'aider à prendre une décision. Lol ! Tu peux être sûre que je vais m'arranger pour écouter ta question demain matin ! J'ai trop hâte !

En attendant, sache que ta *best* (moi) te suggère tout de même de ne pas ignorer complètement Éloi. Selon mon analyse, il a simplement besoin de sentir que tu l'aimes ! Mais je comprends ta confusion : s'il avait tant besoin d'amour, pourquoi il ne te l'a pas dit au lieu de prendre une pause et de te demander du temps ? C'est un peu contradictoire, comme JP qui défend Sarah, mais qui la trouve tache en même temps. Je ne comprends rien aux gars ! ;)

Je m'en vais à l'école.
À plus !
Lou xox

À : Marilou33@mail.com
De : Léa_jaime@mail.com
Date : Mercredi 30 avril, 12 h 22
Objet : La honte

Lou ! As-tu entendu ma question ? C'est la honte ! Je n'ai pas pu la réécouter avant de l'envoyer, et je ne m'étais pas rendu compte que je bafouillais autant que ça ! Et c'est quoi le problème de ma voix ? Pourquoi elle est rauque comme ça ? On dirait une fumeuse de quatre-vingts ans ! Je capote ! Et comble de la honte, ils m'ont coupée avant la fin ! J'ai perdu trop de temps à prononcer mon faux nom ! Ça sort comme « Ben... allo Manu... Je m'appelle Lé... na Oliv-v-viera (mon faux nom), et je t'écris, ou plutôt je te parle, parce que... heu... ben, mon chum a pris un *break*, euh !, c'est-à-dire une pause de moi, ben... de nous, et je sais pas trop quoi faire. Genre, est-ce que je suis censée lui avouer, genre... qu'il me manque et que je l'aime VRAIMENT, ou genre BIP ! » J'ai été coupée à la moitié de ma question ! Qu'est-ce que Manu va pouvoir répondre à ça ?

« Cher Lé...na Oliv-v-viera,
Je n'ai rien compris à ta question, mais n'hésite pas à m'écrire dans le futur pour d'autres conseils ? »

ARGH ! Et comme un malheur n'arrive jamais seul, j'avais une rencontre du journal ce midi et j'ai dû endurer la présence d'Éloi à mes côtés pendant trente minutes. J'avais juste envie de me jeter sur lui et de le supplier de revenir ! Après la réunion, Éric nous a demandé de rester tous les deux parce qu'il « devait absolument nous parler ».

Éric : Qu'est-ce qui se passe avec vous deux ?
Moi (de façon exubérante) : Rien ! De quoi tu parles ?
Éric : Ben là ! Je ne suis pas niaiseux ! Ça fait une semaine que vous vous évitez et ça met de la tension dans le groupe. Il ne faut pas être un génie pour comprendre qu'il y a un problème.
Éloi (calme et posé) : Léa et moi... On...

Je me suis tournée vers lui. J'étais accrochée à ses lèvres. Peut-être que son explication allait m'aider à mieux comprendre dans quelle situation nous nous trouvions. Son regard s'est aussitôt posé sur moi et j'ai cru voir l'esquisse d'un sourire, peut-être même une lueur d'espoir dans ses yeux.

Éloi : On... traverse une période un peu plus difficile, mais je te promets qu'on va arranger ça et que ça ne causera pas d'ennui au journal.

J'ai eu envie de le lui crier « Comment va-t-on « arranger » ça ? En cassant pour de bon ou en se redonnant une chance ? J'ai besoin d'une réponse ! », mais j'ai senti qu'Éric était à bout de patience et que ce n'était pas le meilleur endroit pour sauter ma coche.

Éric : J'espère que ça va se régler bientôt ! Vous êtes les deux meilleurs auteurs de l'équipe, et je n'ai pas envie de perdre l'un de vous deux ! C'est d'ailleurs pour ça que je dis toujours aux gens de ne pas mélanger travail et amour !

J'ai acquiescé d'un air sceptique et j'ai attendu qu'Éloi et lui quittent le local pour écouter ma question et pour t'écrire. D'un côté, je suis extrêmement flattée qu'Éric me considère comme l'une des meilleures de l'équipe (surtout lorsqu'on tient compte de ma dernière chronique portant sur les règlements vestimentaires que je lui ai remise la semaine dernière et que je trouve plutôt ordinaire comparée à la précédente), mais de l'autre, je le trouve beaucoup trop intense avec son histoire « d'amour et de travail ». On est au secondaire, pas dans une salle de chirurgie ! Lol !

J'attends tes commentaires sur ma question. Tu as le droit de te moquer de moi, si tu veux ! ;)
Léa xox

Mercredi 30 avril

19 h 47

Félix (en ligne): Pssst!

19 h 47

Léa (en ligne): Qu'est-ce que tu veux, encore?

19 h 48

Félix (en ligne): Comment ça, «encore»? J'ai même pas commencé!

19 h 48

Léa (en ligne): Ben là! Tu m'as envoyé des pointes pendant tout le souper. C'est quoi, l'affaire? Tu manques d'attention? Tes trente blondes t'ont laissé tomber?

19 h 49

Félix (en ligne): *Nope!* Elles se portent très bien!;) Et en plus, je pense que je pourrai reconquérir Katherine sous peu.

19 h 49

Léa (en ligne) : Tu ne veux vraiment pas lâcher prise, hein ? Et comment tu comptes y arriver, cette fois-ci ?

19 h 50

Félix (en ligne) : Grâce à toi !

19 h 50

Léa (en ligne) : Pas question ! Je t'ai déjà dit que je ne m'en mêlais plus.

19 h 51

Félix (en ligne) : Ouais, mais là, tu n'as pas le choix.

19 h 52

Léa (en ligne) : Euh, rapport ! Oui, j'ai le choix, et non je ne t'aiderai pas !

19 h 53

Félix (en ligne) : Oh oui, tu vas m'aider, parce que tu ne voudrais surtout pas que les gens apprennent que tu es… LÉNA OLIVIERA !

19 h 54

Léa (en ligne) : DE QUOI TU PARLES ? COMMENT TU SAIS ÇA ? T'ES ALLÉ FOUILLER DANS MES AFFAIRES ?!? T'ES TELLEMENT CON !

19 h 56

Félix (en ligne) : Relaxe, petite sœur ! Je n'ai pas eu besoin de fouiller dans tes affaires. Je t'ai entendue enregistrer ta question lundi soir. Je m'apprêtais à t'emprunter ta brocheuse, mais j'ai laissé tomber parce que l'information que tu m'as fournie était beaucoup plus pertinente !

19 h 57

Léa (en ligne) : T'es vraiment con ! C'est personnel, ces affaires-là ! Tu n'avais pas à m'espionner !

19 h 58

Félix (en ligne) : Calme-toi ! Je n'ai pas fait exprès ! Et je ne compte en parler à personne... À condition que tu me rendes un petit service...

19 h 59

Léa (en ligne) : Mais c'est du chantage ! Tu ne peux pas me faire ça !

20 h 01

Félix (en ligne): Ce n'est pas du chantage; c'est simplement un échange de bons services.

20 h 01

Léa (en ligne): Qu'est-ce que tu veux?

20 h 03

Félix (en ligne): Je veux que tu organises une soirée avec Katherine et que je me pointe à ta place. Ça me permettra de passer du temps avec elle sans qu'elle puisse se défiler. Ingénieux, non?

20 h 05

Léa (en ligne): Ce n'est pas ingénieux! C'est croche! En plus, Katherine me fait *full* confiance, et elle sait que je sais qu'elle ne veut pas te voir en ce moment! Si je fais ça, elle va se sentir trahie et je vais perdre une des seules amies que j'ai réussi à me faire ici!

20 h06

Félix (en ligne): Ou il se peut aussi qu'elle te remercie de nous avoir permis de reprendre! ☺

20 h 07

Léa (en ligne): Je te jure que tu vas finir par me le payer…

20 h 09

Félix (en ligne): Est-ce que ça veut dire oui ?

20 h 09

Léa (en ligne): Est-ce que j'ai le choix ?

20 h 10

Félix (en ligne): ☺

20 h 11

Léa (en ligne): Laisse faire les sourires, espèce de faux frère !

Léa a quitté la conversation

À : Léa_jaime@mail.com
De : Marilou33@mail.com
Date : Jeudi 1er mai, 19 h 55
Objet : La réponse de Manu !

Salut, ma belle !
Je viens de lire la réponse de Manu sur son blogue, et je crois que tu capotais pour rien, parce qu'il semble avoir compris le sens de ta question (Même si elle n'était pas très claire ! Ha, ha, ha !). Je pense aussi qu'il a vraiment raison : si tu aimes Éloi et que tu ne veux pas le perdre, c'est important d'aller au bout des choses et d'être honnête avec lui. Après tout, qu'est-ce que tu as vraiment à perdre ?

Si Éloi a besoin d'une grande déclaration d'amour inconditionnel et que tu es certaine de vouloir être avec lui, alors plonge et dis-lui ce que tu as sur le cœur. Je sais qu'il t'a demandé du temps, mais là ça fait dix jours et il ne se branche toujours pas, alors ça suffit ! Il est temps de prendre les choses en main ! Après tout, il n'est même pas revenu sur la situation et il ne t'a toujours pas vraiment expliqué où il en était dans ses réflexions.

Bon, j'y vais... Je dois terminer mon travail de sciences, mais tous les prétextes sont bons pour prendre une pause ! ;)
Lou xox

À : Léa_jaime@mail.com
De : Éloi2011@mail.com
Date : Jeudi 1er mai, 20 h 46
Objet : Je m'excuse...

Salut,
Je t'écris parce que je voulais m'excuser de te tenir en haleine depuis une dizaine de jours. Je sais que tu dois commencer à être tannée d'attendre sans trop savoir quoi faire, mais j'avoue que je ne suis jamais passé par là moi non plus et que je ne sais pas trop comment m'y prendre. Quand j'ai décidé de prendre un *break*, je me sentais vraiment tout croche. J'avoue que je ne te comprends pas tout le temps. J'ai souvent l'impression que tu n'es pas bien avec moi ou que tu ne m'aimes pas autant que moi je t'aime. Je trouvais que la magie n'était plus là, et que ça devenait trop compliqué pour moi.

Le problème, c'est que je t'aime et que je ne peux pas non plus arrêter d'avoir de l'espoir. J'ai pris une pause en espérant que ça me permette d'y voir plus clair, genre « je l'aime trop, je nous donne une autre chance » ou « c'est vraiment trop compliqué, et on n'est plus heureux ensemble ». Le problème, c'est que ça ne s'est pas vraiment simplifié dans ma tête, et je me sens de plus en plus mal de te faire endurer ça. Bref, je voulais au moins t'écrire pour que tu saches que ça me torture, moi aussi, et que je pense à toi. Je sais que c'est peut-être trop te demander, mais est-ce que c'est correct si on se donne jusqu'à mardi pour réfléchir à tout ça ? Je pars à Québec avec ma famille toute la fin de semaine et je n'irai pas à l'école lundi, alors j'espère que la distance va me permettre de mettre de l'ordre dans ma tête. Est-ce que ça te convient ?

J'espère que tu vas bien. Je m'ennuie beaucoup de parler avec toi, et de rire avec toi, et de t'embrasser. Si seulement ça pouvait toujours être comme ça entre nous deux...
Éloi

À : Éloi2011@mail.com
De : Léa_jaime@mail.com
Date : Jeudi 1er mai, 21 h 12
Objet : Moi aussi

Salut,
Ça tombe bien que tu m'écrives, parce que je comptais justement le faire. C'est vrai que ce n'est pas facile d'être en *break*, surtout que des fois, je me demande comment je suis censée agir avec toi.

Si tu as besoin de la fin de semaine pour réfléchir, c'est correct. Je veux juste que tu saches que je tiens vraiment à toi, et je suis désolée que tu aies des doutes à propos de nous. Je sais que ce n'est pas toujours facile, mais je t'aime vraiment beaucoup, et j'aimerais ça qu'on puisse rester ensemble.

Maintenant, la balle est dans ton camp.
Léa xox

À : Marilou33@mail.com
De : Léa_jaime@mail.com
Date : Vendredi 2 mai, 20 h 22
Objet : Ça va mal !

LOU ! JE CAPOTE !!
Premier drame de ma vie : Éloi m'a écrit juste après toi hier soir pour mettre les choses un peu plus au clair. Conclusion : il me demande un peu plus de temps ! Il voudrait qu'on en reparle mardi prochain dès son retour de Québec pour arriver à une décision ensemble. Ce qui est très poche, c'est que je m'apprêtais justement à l'appeler ou à lui écrire pour lui faire une déclaration enflammée grâce à tes conseils et à ceux de Manu, mais son courriel a un peu freiné mon envolée lyrique. Je ne veux pas le brusquer s'il a besoin de temps ! Bref, je me suis contentée de lui répondre en le rassurant et en lui disant que je l'aimais et que moi j'avais envie de rester avec lui.

Je suis censée faire quoi ? L'attacher à un arbre et le supplier de rester avec moi ? ! ?

Deuxième drame de ma vie : mon frère m'a entendue enregistrer ma question sur le *Blogue de Manu*, et là il me menace de tout dévoiler ! Avoue qu'il est traître ! Il dit qu'il ne dira rien si j'organise une soirée avec Katherine et que c'est lui qui se pointe à ma place. En gros, il me fait du chantage et il veut que je trahisse mon amie en échange de son silence éternel. J'ai tellement honte qu'il m'ait entendue ! Un côté de moi espère qu'il bluffe et se dit que je ne devrais pas entrer dans son jeu... Mais un autre côté (le plus dominant) ne veut tellement pas que ça se sache qu'il est prêt à tout pour que mon frère oublie cette histoire. Bref, cet après-midi, j'ai offert à Katherine d'aller au cinéma avec moi en fin de semaine. On est censées se rejoindre au centre-ville dimanche, mais c'est bel et bien Félix qui se pointera à ma place. Penses-tu qu'elle va me le pardonner ? Je me sens tellement, mais tellement mal... ☹ Je déteste Félix en ce moment.

Troisième drame de ma vie : j'ai fait mon exposé oral avec Jeanne aujourd'hui, et ça s'est VRAIMENT mal passé. On avait divisé la présentation en deux : Jeanne s'occupait de la première, et moi de la deuxième. Notre présentation traitait de la musique comme moyen d'expression. Évidemment, Jeanne a parlé comme une championne des différents styles de musique en donnant des exemples de chanteurs qui décrivaient de leurs peines d'amour dans leurs compositions. C'est là que Maude est intervenue.

Maude : Un peu comme Léa ?
Moi : *What ?*
Maude : *Forget it.*

Je ne comprenais pas de quoi elle parlait. Je me suis dit qu'elle cherchait sûrement à me déstabiliser, et j'ai préféré ne pas entrer dans son jeu.

Jeanne m'a ensuite laissé la parole. J'avais la gorge sèche et les mains moites. J'ai regardé la classe, et j'ai vu les nunuches qui attendaient juste que j'ouvre la bouche et que je dise un mot tout croche pour se moquer de moi. Je me suis tournée vers Jeanne, qui m'a fait un petit sourire encourageant.

J'ai donc repris la présentation en parlant de Beyoncé, de Rihanna et de Katy Perry, qui avaient toutes écrit des chansons sur des amours perdues. Je bafouillais un peu, mais je m'accrochais à ma feuille comme si ma vie en dépendait, et j'avoue que les interludes musicaux qu'on avait prévu durant la présentation me permettaient de respirer un peu.

Plus je parlais, plus je prenais de l'assurance. J'avais décidé de ne regarder que le professeur, qui semblait fasciné par ce que je disais. J'ai finalement conclu en citant une phrase un peu quétaine sur l'amour et Jeanne a fait jouer un extrait de chanson sur son iPhone qui allait bien avec ce que je venais de dire (ne me demande pas pourquoi ; je n'ai pas compris la moitié de ma propre présentation).

La classe a applaudi. J'étais vraiment soulagée ! Je m'apprêtais à regagner mon siège lorsque le prof a demandé s'il y avait des questions à propos de notre travail. Maude a tout de suite levé la main.

Le prof : *Yes*, Maude.
Maude : *I want to know if LéNa ever wrote a song about a boy?*

Je n'ai rien compris de la question, mais j'ai bel et bien entendu « Léna ». Jeanne s'est approchée de moi et m'a soufflé sa question traduite à l'oreille.

Jeanne (en chuchotant) : Elle veut savoir si tu as déjà composé une chanson à propos d'un gars. Ne lui réponds pas si tu ne veux pas.
Moi (les yeux écarquillés) : Est-ce qu'elle m'a appelée « Léna » ?
Jeanne : Euh... j'avoue que je n'ai pas remarqué.

Le prof m'a ensuite regardée comme s'il attendait ma réponse. Je ne me souvenais même plus de la question. Tout ce que je me souvenais, c'est qu'elle avait dit « Léna ».

Moi : *Euh... Could... You... Euh... Repeat?*

Maude : *Sure*, Léna ! As-tu déjà écrit une chanson pour un gars ?

La cloche a sonné avant que je puisse répondre. J'ai regardé Maude, qui rassemblait ses affaires en souriant d'un air machiavélique. Je me suis dépêchée de ranger mes livres dans mon sac et j'ai rejoint Jeanne.

Moi : Jeanne, je ne suis pas folle. Elle m'a appelée Léna !
Jeanne : Et ? Elle a sûrement fait exprès de se tromper de nom pour te faire enrager ! N'embarque pas dans son jeu.
Moi (en chuchotant) : Tu ne comprends pas ! Léna... C'est le nom que je me suis donné sur le site de Manu pour poser ma question. Je ne voulais pas que les gens me reconnaissent... Alors, j'ai changé pour nom pour « Léna Oliviera ».

Jeanne m'a regardée d'un air incrédule, puis elle a éclaté de rire.

Jeanne : Voyons, Léa ! Tant qu'à changer ton nom, il me semble que tu aurais pu inventer quelque chose de... moins... évident ?
Moi : Ce n'est pas si évident que ça ! Ça sonne italien. Et en plus, ma voix était super rauque sur l'enregistrement ! Elle n'aurait jamais pu me reconnaître !
Jeanne : Ta voix est toujours rauque, Léa !

Moi : Quoi ? ! Tu veux dire que j'ai une voix de fumeuse de quatre-vingts ans dans la vraie vie ? !
Jeanne (en riant) : Ben non ! Tu as une super belle voix ! Mais disons qu'elle n'est pas méconnaissable. Genre qu'une « Léna Oliviera » avec ta voix, ça a dû lui mettre la puce à l'oreille.
Moi : *OH MY GOD !* Dis-moi que je rêve ! Tu penses qu'elle connaît le site ? Je suis sûre que tu exagères et qu'elle ne m'a pas reconnue ! C'est sûrement quelqu'un qui lui a dit ! Mais les seules qui étaient au courant, c'est Marilou et toi !

J'ai jeté un regard suspicieux vers Jeanne.

Jeanne : Léa ! Je te jure que je n'en ai parlé à personne, et surtout pas à Maude ! Je pense que tu me connais assez pour savoir que tu peux me faire confiance.
Moi (en soupirant) : Je m'excuse... Tu as raison. Mais si ce n'est pas toi, et que ce n'est pas Marilou... FÉLIX !
Jeanne : Quoi, Félix ?
Moi : Euh... rien ! Je me disais qu'il m'avait peut-être entendue et qu'il m'avait trahie. (Je ne voulais pas lui raconter que Félix savait et que je m'apprêtais à trahir Katherine pour protéger ma réputation.)
Jeanne : Coudonc, Léa ! Penses-tu que le monde entier est contre toi ? Ce n'est pas compliqué ! Il y a trois options : soit Maude est allée sur le site, elle

a écouté ta question et elle t'a reconnue ; soit tu as halluciné le mot « Léna » ; soit le fait qu'elle déforme ton nom n'est qu'un hasard.

J'ai hoché la tête en guise de réponse et j'ai essayé de me détendre en me disant que Jeanne avait sûrement raison, et que j'avais dû halluciner le « Léna ».

J'ai passé le reste de la journée à m'efforcer de penser ni à Maude, ni à Félix, ni à Éloi. J'avais presque réussi ma mission lorsque mon ennemie préférée est venue me rejoindre à mon casier alors que je me préparais à rentrer chez moi.

Maude : Salut, *Léna*. (Je n'avais donc pas halluciné.)
Moi (d'un air nerveux) : Comment tu m'as appelée ?
Maude : Léna. Pourquoi ? Tu n'aimes pas ça ?
Moi : Euh... Non, je n'aime pas ça. Mon nom, c'est Léa.
Maude : Pourtant, ce n'est pas ce que tu dis sur le site de Manu !

Je l'ai regardée du coin de l'œil pour vérifier à quel point elle avait l'air sûre de son affaire. J'ai décidé de la tester avant de lui donner raison.

Moi (d'un air nonchalant) : C'est quoi ça, « le site de Manu » ?
Maude (avec un peu trop d'assurance à mon goût) : Ne fais pas l'innocente, Léna Oliviera ! Je sais que c'est

toi qui as posé une question à Manu cette semaine. J'ai reconnu ta voix, ton nom bidon et ton « aisance naturelle ».

Elle a dit ça en faisant des signes de guillemets pour être sûre que je comprenne son sarcasme.

Moi (en continuant de faire l'innocente) : Je ne sais vraiment pas de quoi tu parles, Maude.
Maude (en se rapprochant de moi d'un air menaçant) : Ce n'est pas compliqué, Léa. Je ne dirai rien à personne à condition que tu me laisses ta place au journal. Si tu refuses, TOUT LE MONDE saura qui se cache derrière Léna Oliviera. C'est à toi de décider ! Je te donne jusqu'à mardi pour prendre une décision.

Mais qu'est-ce qu'ils ont tous à me faire du chantage et à me donner jusqu'à mardi pour que je me branche ? En moins de cinq jours, je dois décider si je trahis une amie, si je cède ma place au journal à ma pire ennemie pour protéger ma « réputation » et si je reviens ou non avec mon chum.

Je ressens tellement de pression en ce moment que je n'arrive même plus à penser. Je vais aller m'abrutir devant un film, et demain, je m'engage à prendre des décisions !

Toi, que fais-tu ce soir ? Soirée de filles ou soirée d'amoureux ?
Léa xox

À : Léa_jaime@mail.com
De : Marilou33@mail.com
Date : Samedi 3 mai, 13 h 33
Objet : Problème de karma

On dirait que nos karmas sont alignés, comme dirait notre grande amie Sarah Beaupré ! Ma journée d'hier ne s'est pas super bien déroulée non plus.

Steph et Laurie m'ont invitée à passer la soirée avec elles pour célébrer l'arrivée du printemps et le nouveau célibat de Laurie, mais j'ai refusé parce que j'étais certaine que j'allais passer la soirée avec JP. C'est alors que Monsieur s'est pointé à mon casier pour m'annoncer qu'il s'en allait rejoindre Seb et Thomas à la cantine.

Moi : Ben là ! On avait prévu de passer la soirée ensemble. Je trouve ça plate que tu me laisses tomber comme une vieille guenille à la dernière minute parce que tu aimes mieux passer du temps avec tes amis qu'avec moi !
Lui : On ne s'était jamais dit qu'on passerait la soirée ensemble, Marilou ! Je t'avais promis que demain

soir, on passerait une soirée en amoureux, mais je ne pensais pas qu'on allait rester collés pendant quarante-huit heures !

Moi : C'est quoi, l'affaire ? Ça te paraît impensable de passer deux jours avec ta blonde ?

Lui (en devenant de moins en moins patient) : Ce n'est pas ça, Marilou ! Mais on avait convenu qu'on essaierait de passer des moments seuls ensemble et de prévoir du temps chacun de notre bord avec nos amis. Comme je te vois demain, je pensais consacrer ma soirée d'aujourd'hui à ma gang de gars.

Moi : C'est poche pareil ! J'avais envie de te voir, moi.

Lui : Oui, mais tu m'avais dit de te le dire quand j'avais besoin d'être dans ma bulle. C'est ce que je suis en train de faire.

Moi (en faisant un effort pour me ressaisir et être de bonne foi) : OK. Va avec tes amis, d'abord !

Lui : Ne réagis pas comme ça ! Tu n'as qu'à aller rejoindre les filles.

Moi : Ben là ! Je leur ai déjà dit que je ne pouvais pas les voir parce que je passais la soirée avec toi. Si je vais les retrouver, elles vont penser que je les utilise comme bouche-trous !

Lui : C'est ben compliqué, votre affaire ! Il me semble qu'avec mes amis, c'est plus simple que ça. Si on peut se voir, cool, mais sinon, tant pis !

Moi (amère) : Tant mieux pour toi !

Lui (amer aussi) : Si c'est si grave que ça, je vais rester avec toi, ce soir.

Moi (très amère) : T'es fou ! Penses-tu vraiment que je vais accepter ta pitié ? Va rejoindre tes amis ! Je suis capable de me trouver une vie !

JP a haussé les épaules d'un air découragé, puis il est parti. Je ne me comprends pas vraiment. D'un côté, j'aurais préféré qu'il reste et qu'il me supplie de passer du temps avec moi, mais de l'autre, je sais que je suis attirée par son côté indépendant, et que s'il était toujours collé sur moi, ça me taperait sur les nerfs et que je l'aimerais moins. Est-ce que je peux me brancher, s'il vous plaît !

Je suis rentrée chez moi, puis j'ai suivi le conseil de JP et j'ai décidé de rappeler Steph pour lui dire que j'avais changé d'avis. Elle m'a dit de venir les rejoindre chez Laurie.

Quand je leur ai expliqué la situation, Laurie s'est levée d'un bond et a croisé ses bras sur sa poitrine pour me montrer son mécontentement.

Laurie : Ben là ! Es-tu en train de nous dire que tu es venue ici parce que ton chum avait plus envie de passer du temps avec ses amis que de te voir ?
Moi : Euh... Oui, mais ça me tentait aussi de vous voir !
Laurie : Donc tu avoues que tu nous utilises comme bouche-trous !

Steph (en essayant de tempérer les choses) : Tu exagères, Laurie ! C'est normal que Marilou ait envie de passer du temps avec son chum !
Laurie : Oui, mais ce n'est pas normal qu'elle le fasse toujours passer avant ses amies ! Il ne se gêne pas pour te laisser tomber, lui !

Et vlan ! La bonne vieille Laurie était de retour. Son franc-parler m'a un peu prise au dépourvu.

Moi : Il ne m'a pas vraiment laissée tomber… C'est plutôt moi qui avais prévu passer une soirée avec lui sans l'en informer. Et il a raison, c'est normal de partager son temps entre moi et ses amis… Après tout, c'est un compromis qu'on a décidé de faire ensemble.
Laurie (toujours aussi outrée) : Mais je sais qu'il a raison ! C'est aussi ce que tu aurais dû faire dès le début au lieu de nous laisser tomber et de revenir quand ça ne fait pas son affaire. Tu n'es pas tannée de le laisser contrôler ta vie ?
Steph : Voyons, Laurie ! Je ne pense pas que JP contrôle la vie de Marilou. Elle est encore capable de faire des choix ! Et ça nous arrive toutes de donner la priorité à notre chum.

Je suis restée pensive pendant quelques secondes, puis j'ai regardé Laurie dans les yeux.

Moi : Je m'excuse de vous avoir donné l'impression d'être des bouche-trous. Je pense que Laurie a un peu raison. Je dois être plus indépendante !

Laurie m'a souri et a poursuivi sur sa lancée. Je l'ai écoutée d'une oreille distraite, parce que je me sentais un peu tout croche. Je me suis souvenue du jour de l'An, des midis où JP m'ignorait pour être avec Sarah et ses amis et de notre plus récente dispute à propos du fait qu'il ne m'ait jamais appelée pour me prévenir qu'il ne viendrait pas me retrouver chez Steph. C'est vrai que je me laisse un peu mener par le bout du nez. J'ai l'impression que c'est toujours moi qui fais des compromis et que lorsqu'il passe du temps avec moi, c'est presque un service qu'il me rend.

Steph s'est rendu compte que je n'étais pas dans mon assiette et elle nous a proposé de regarder un film pour nous changer les idées. J'ai accepté en prenant la ferme résolution de devenir une femme forte et indépendante ! Lol ! Au fond, JP a raison de vouloir consacrer du temps à ses amis et je devrais faire la même chose.

Comme tu vois, tu n'es pas la seule à te poser des questions ! La grosse différence, c'est que j'ai réalisé que j'étais en train de me transformer en la Éloi du couple !

En ce qui concerne tes trois problèmes, j'avoue que c'est très intense et que tout arrive en même temps. J'ai pris le temps de réfléchir pour toi, et voici ce que je te propose :

Pour Éloi, tu ne peux plus rien faire. Comme tu le dis toi-même, la balle est maintenant dans son camp. Donne-lui jusqu'à mardi, et tu verras quelle est sa conclusion. S'il hésite encore, je te suggère de laisser tomber. J'ai décidé qu'on méritait d'être avec des gars qui étaient sûrs de vouloir être avec nous !
Tu ne devrais pas embarquer dans le petit jeu de Félix. Je sais que tu ne veux pas qu'il dévoile ton secret, mais penses-tu vraiment qu'il oserait t'humilier devant les autres ? Je pense qu'il se sert de cette arme pour pouvoir reconquérir Katherine, mais que si tu lui tiens tête, il ne fera rien du tout.
Pour ce qui est de Maude, elle est vraiment plus ratoureuse que je le pensais. Je sais qu'elle te fait peur, mais, Léa, il est hors de question que tu lui cèdes ta place ! On peut espérer qu'elle bluffe, mais sinon, je te promets de t'aider à gérer les conséquences de sa révélation. Au fond, qu'est-ce que ça change que tu aies posé une question à Manu ? Je sais que tu as un peu honte de ta formulation, et de ton faux nom bidon, mais ce n'est pas si dramatique que ça !

Bon, je te laisse ! Ça fait plus d'une heure que j'écris, et il faut vraiment que je me rende à la piscine pour

mon entraînement. Je rejoins JP vers 17 h. J'espère qu'il sera impressionné par la nouvelle femme que je suis devenue depuis hier !
Lou xox

Chapitre 7
L'heure de vérité

À : Léa_jaime@mail.com
De : Katherinepoupoune@mail.com
Date : Dimanche 4 mai, 09 h 11
Objet : Tantôt ! ❤

Coucou !
Je ne veux pas t'envoyer de message texte de peur de te réveiller, mais comme je suis chez ma tante (pour un brunch beaucoup trop tôt à mon goût) et que la batterie de mon cellulaire est morte, je voulais t'écrire un petit mot pour confirmer avec toi que je serai devant le cinéma Quartier Latin à 14 h 30 !

À tantôt !
Luv,
Katherine

Dimanche 4 mai

13 h 05

Léa (en ligne) : Lou ! T'es là ?

13 h 06

Marilou (en ligne) : Oui ! Je me suis réveillée à midi. Je me sens tellement légume. Je pense que j'ai attrapé un rhume hier soir.

13 h 07

Léa (en ligne) : C'était comment, ta soirée avec JP ?

13 h 09

Marilou (en ligne) : Très moyen. On s'est promenés, mais on gelait (d'où mon rhume), alors on est allés chez lui pour regarder un film, mais j'étais froide et distante, alors disons que la soirée n'a pas levé !

13 h 10

Léa (en ligne) : Est-ce qu'il t'a demandé pourquoi tu agissais comme ça ?

13 h 12

Marilou (en ligne): Pas vraiment. Je crois qu'il pense que c'est encore à cause de vendredi et qu'il se dit que ça va finir par me passer. Je ne voulais pas perdre la face et lui dire que j'avais simplement décidé d'être plus indépendante. Il me semble que c'est le genre de chose qu'il est censé réaliser tout seul. Et voilà que ce matin, je me lève avec des maux de gorge et de tête. C'est comme si la vie me punissait de vouloir changer d'attitude!

13 h 13

Léa (en ligne): Lol! Pauvre Lou! Mais si ça peut te remonter le moral, je comprends vraiment comment tu te sens. C'est vrai que tu fais beaucoup d'efforts et de compromis avec JP, et c'est correct de vouloir sentir que vous êtes à égalité! Mais je pense que si tu lui en parlais, ça ferait sûrement avancer les choses... ;)

13 h 14

Marilou (en ligne): Je sais! Je voulais juste me calmer un peu avant de le faire. Et toi? À quelle heure tu dois voir Katherine?

13 h 15

Léa (en ligne): En fait... c'est Félix qui va la rejoindre dans 45 minutes.

13 h 16

Marilou (en ligne): Comment ça? Tu n'as pas suivi mes conseils? Léa, je t'en prie, ne fais pas ça à Katherine! Elle t'a déjà dit qu'elle ne voulait rien savoir de Félix pour l'instant. Il me semble que c'est un peu poche de lui faire un coup pareil, non?

13 h 19

Léa (en ligne): ARGH! Je sais! Et je te jure que je ne voulais pas que ça se passe comme ça! Ce matin, j'avais décidé de tout laisser tomber et de ne pas embarquer dans le jeu de Félix. Le problème, c'est que lorsque je lui ai annoncé, il est devenu genre larmoyant et il m'a suppliée de le laisser y aller à ma place. Il m'a dit que ça n'avait plus rapport avec mon message sur le blogue et que ce n'était pas du chantage, mais qu'il voulait vraiment parler à Katherine. Que c'était sa dernière chance!

13 h 20

Marilou (en ligne) : Wow ! Il est ben intense ! Mais pourquoi il dit que c'est sa « dernière chance » ? S'il veut vraiment lui parler, pourquoi il ne se pointe pas chez elle pour lui faire une déclaration au lieu de te mêler à tout ça ?

13 h 22

Léa (en ligne) : C'est exactement ce que je lui ai dit, mais il m'a avoué qu'il l'avait appelée genre dix fois, qu'il lui avait envoyé quatre courriels, qu'il avait essayé de lui parler à l'école et qu'il s'était même pointé chez elle, mais que chaque fois, elle se défilait. Elle ne veut même pas aborder le sujet avec lui ; elle préfère fuir que de répondre à ses questions. J'avoue que je ne savais pas à quel point il avait essayé de la reconquérir, et il avait l'air trop sincère et trop amoureux déçu pour que je lui refuse de se rendre à ma place...

13 h 23

Marilou (en ligne): Je suis mal placée pour te faire la morale parce que tu n'as pas su résister aux charmes de ton frère!;) Dans ce cas, c'est super important que tu t'expliques bien avec Katherine pour qu'elle sache que tu n'as pas agi de mauvaise foi et que ton frère avait l'air bien trop piteux pour que tu lui dises non!

13 h 25

Léa (en ligne): C'est ce que je comptais faire tout à l'heure. Je voulais lui écrire un courriel pour m'excuser. Argh. Tu parles d'une fin de semaine poche! Je suis enfermée dans ma chambre à attendre que la semaine commence et voir quelle sera l'issue de mes décisions.

13 h 26

Marilou (en ligne): Et qu'est-ce que tu comptes faire pour le reste?

13 h 29

Léa (en ligne) : Je compte suivre les conseils de ma *best* au pied de la lettre. Promis, juré, craché ! Aujourd'hui, je voulais aussi parler à mes parents pour savoir ce qu'ils comptaient faire de moi cet été. Il y a des ateliers d'écriture qui sont offerts dans mon quartier et qui semblent assez cool. Mon père insiste aussi pour que je fasse du sport, alors je pense peut-être me réinscrire dans une ligue de soccer.

13 h 31

Marilou (en ligne) : C'est une bonne idée, ça ! Tu étais *full* bonne quand on jouait ensemble ! En tout cas, tu étais meilleure que moi. Ça m'a pris tout un été à comprendre que je ne pouvais pas faire des passes avec la main !

13 h 33

Léa (en ligne) : Lol ! Ouais, et j'aimais quand même ça, alors je me dis que c'est un moindre mal. Tant qu'à être prise à Montréal tout l'été, aussi bien m'occuper !

13 h 35

Marilou (en ligne) : Mais tu vas venir me visiter, hein ?

13 h 37

Léa (en ligne): Ben oui! Et on va s'arranger pour que tu viennes me voir, toi aussi!

13 h 38

Marilou (en ligne): Oui! Il faut juste que j'en parle à mes parents. Je sais que le camp de jour de mon petit frère a été annulé cette année et qu'ils comptaient peut-être sur moi pour le garder de temps à autre, mais c'est clair que je vais m'arranger pour venir te visiter. J'aimerais ça qu'on aille aux Francofolies ensemble.

13 h 40

Léa (en ligne): Oui! Ça va être trop cool! Plus qu'un mois et deux semaines, et nous serons enfin libérées de l'école!

13 h 41

Marilou (en ligne): ☺ Bon, j'y vais avant de te contaminer virtuellement. Écris-moi dès que tu as des nouvelles de Katherine! Je t'aime!!

13 h 41

Léa (en ligne): OK! ❤

À : Katherinepoupoune@mail.com
De : Léa_jaime@mail.com
Date : Dimanche 4 mai, 16 h 11
Objet : Je m'excuse !

Salut !
Je sais que tu dois me détester en ce moment, mais je tenais vraiment à m'excuser d'avoir envoyé Félix au cinéma. Je ne voudrais surtout pas que tu croies que je me moque de toi, et c'est pour cette raison que je préfère te dire toute la vérité.

La semaine dernière, j'ai eu la chance de pouvoir enregistrer la question de mon choix sur un blogue assez connu. C'est cool, parce que tu peux te confier à un gars de façon anonyme, et il te donne des conseils pour essayer de régler tes problèmes. J'ai décidé de poser une question à propos d'Éloi, mais Félix m'a entendue le faire et m'a menacée de le dire à tout le monde si je ne lui laissais pas ma place au cinéma. Ça m'a vraiment étonnée de sa part, parce que, même s'il peut parfois être emmerdant (comme tous les frères), il est loin d'être méchant.

J'avoue que sur le coup j'ai hésité, parce que j'avais peur que ce nouveau raz-de-marée affecte encore plus ma réputation et que tout le monde se mette à rire de moi, mais j'ai finalement décidé de lui dire qu'il n'était pas question qu'il me mêle à ses histoires et qu'il devrait s'arranger avec ses problèmes ! C'est alors qu'il s'est excusé lui aussi de m'avoir mise dans cette situation, et qu'il m'a suppliée de le laisser aller à ta rencontre parce qu'il était désespéré et qu'il t'aimait vraiment. Il m'a expliqué qu'il m'avait fait du chantage parce qu'il ne savait plus comment s'y prendre avec toi, et qu'il voyait ça comme sa dernière chance de pouvoir se rapprocher de toi. J'avoue que je n'ai pas pu lui dire non. Je connais mon frère, je pense qu'il essayait sincèrement de trouver une façon de te faire comprendre qu'il regrettait son geste et qu'il voulait être avec toi.

Cela dit, je me sens super mal de t'avoir fait ça, surtout que je savais très bien que tu me faisais confiance et que tu n'avais pas particulièrement envie de le revoir. J'espère au moins que votre rencontre te permettra d'avoir les idées plus claires, mais je te promets de ne plus jamais m'immiscer entre vous !

Je m'excuse encore, et j'espère que tu pourras me pardonner, car ton amitié est super importante pour moi !
Léa xox

P.-S. : Je pense que Maude est aussi au courant pour ma question. Elle a dû me reconnaître sur le site (j'avoue que j'ai inventé un faux nom un peu bidon qui ressemble trop au mien). Elle m'a même menacée de le dire à tout le monde si je ne lui cédais pas ma place au journal !

À : Léa_jaime@mail.com
De : Katherinepoupoune@mail.com
Date : Dimanche 4 mai, 21 h 17
Objet : Hum... OK ;)

Coucou !
Ouin ! J'avoue que lorsque j'ai vu Félix débarquer devant le cinéma, j'ai eu le goût de t'étriper !

Mais ton frère s'est empressé de dire qu'il t'avait pratiquement forcée à lui céder ta place parce qu'il voulait me voir et il m'a suppliée de ne pas t'en vouloir ! Et je sais comme toi qu'il n'est pas méchant ! Infidèle, peut-être, mais pas de mauvaise foi.

Et avec le recul, je suis presque contente qu'il se soit pointé, parce que ça fait des semaines que je le repousse et que je l'évite dès qu'il veut aborder le sujet de notre couple. Nous avons laissé tomber le cinéma et nous sommes allés dans un café pour discuter. J'ai été honnête avec lui et je lui ai dit que même si je le *luvais* encore, je ne me sentais pas prête à me rembarquer dans une relation avec lui, mais que j'avais quand même envie qu'on essaie d'être amis. Peut-être qu'avec le temps, les choses évolueraient en notre faveur. Il en a profité pour m'inviter à son bal de finissants ! J'ai accepté à condition qu'il ne se fasse pas d'idées ! Lol ! Bref, ça s'est plutôt bien déroulé, et je voulais te dire que je te pardonne ! ❤

Pour ce qui est de la question sur ton blogue, Maude m'en a déjà glissé un mot. Jeudi passé, elle m'a appelée pour me dire qu'elle était tombée sur une fille qui sonnait comme toi sur le Web et elle voulait que j'aille entendre ta question pour s'assurer que c'était bien toi. J'ai refusé d'entrer dans son petit jeu. Disons que depuis l'histoire de Félix, je me méfie un peu d'elle. Je m'excuse de ne pas t'en avoir parlé, mais je me suis dit que si elle cherchait à te causer des ennuis, je ne voulais pas m'en mêler, et que si tu ne m'en avais pas parlé, c'était sûrement parce que c'était personnel. Sache qu'il n'y a aucune honte à demander de l'aide sur un blogue du genre quand tu te sens perdue. Je fais pareil avec les magazines !! Et un petit conseil en terminant : ne te laisse pas mener par le bout du nez par Maude. N'entre surtout pas dans son jeu. Même si tu lui cédais ta place au journal, qu'est-ce qui t'assure qu'elle ne divulguerait pas ton secret quand même ?

À demain !
Luv,
Katherine

À : Marilou33@mail.com
De : Léa_jaime@mail.com
Date : Lundi 5 mai, 17 h 21
Objet : Maude fait des siennes

Coucou !
Comment ça se passe aujourd'hui ? Est-ce que ton rhume va un peu mieux ? As-tu reparlé à JP ?

De mon côté, j'appréhende un peu mes retrouvailles avec Éloi. Je n'ai pas eu de nouvelles de lui depuis qu'il est parti à Québec et je ne sais pas du tout dans quel état il se trouve. Mais j'avoue que je suis tannée de sentir une boule dans mon ventre et d'être en attente de sa décision. Je préfère en avoir le cœur net et savoir si c'est fini ou non. Et même si ça me fait de la peine, je pense que tu as raison ; s'il ne sait toujours pas quoi faire, c'est sans doute signe que ça ne fonctionne plus entre nous. Tes frustrations contre JP m'ont secouée un peu, et je pense que c'est nécessaire. Je sais que je chiale des fois, et que je ne suis peut-être pas la blonde la plus attentionnée et la plus sportive sur terre, mais comme dit Éloi, il faut que je rélatise, ou rélavise, ou quelque chose qui sonne comme ça et qui veut dire dédramatise ! Je pense que je ne suis pas non plus la pire des blondes, et mon histoire avec Thomas m'a quand même appris que ça ne sert à rien de m'apitoyer sur mon sort pendant des semaines. Wow ! Qui eut cru que sept mois plus tard, j'allais tirer des leçons de ma peine d'amour ? Lol !

Pour ce qui est de Maude, j'ai aussi décidé de ne pas me laisser intimider par ses menaces. J'avoue qu'elle a quand même le don de me provoquer, et que ça me demande beaucoup d'efforts pour pas me mettre à lui crier après de façon hystérique. Toute la journée, elle me soufflait des «*Hello, Léna Tomato*» quand je la croisais, suivis de «tic, tac, tic, tac» pour que je comprenne qu'il me restait peu de temps pour me décider.

Ce midi, j'ai accompagné Jeanne et Alex au café pour manger loin des regards intimidants des nunuches. Je réalise que je me sens de plus en plus à l'aise avec ces deux-là !

Je suis rentrée à la maison avec Félix et Katherine (Félix tenait à la raccompagner chez elle) et j'ai pris soin de faire un signe de main à Maude en m'installant dans la voiture. Je pouvais voir qu'elle bouillait de l'intérieur, même si elle tenait José par la main. Elle n'a pas l'habitude de se faire refuser quoi que ce soit, et je sais très bien que Félix fait partie des revers qu'elle a de la difficulté à digérer !

Lorsque Katherine est sortie de la voiture, Félix s'est tourné vers moi avec un petit sourire en coin.

Lui : Bon... As-tu d'autres amies à me présenter ?
Moi : Félix ! Pas question que je me rembarque dans une histoire comme ça avec toi ! Et pourquoi tu dis ça ? T'as décidé de jeter l'éponge avec Katherine ?
Lui : Disons que j'ai réalisé en lui parlant l'autre jour que ça ne mènerait à rien. Je tiens beaucoup à elle, mais je ne vais pas non plus la forcer à être avec moi.
Moi : Tu n'es pas la première personne qui me dit ça ! On dirait que c'est le mot d'ordre, ces temps-ci.
Lui : Comment ça ? Tu ne penses pas revenir avec Éloi ?
Moi : Disons que je me sens un peu comme toi. Je tiens à lui, mais s'il me trouve trop compliquée, je ne peux pas y faire grand-chose. Et en ce moment, Marilou se sent un peu comme ça avec JP.
Lui : Tiens, c'est une bonne idée, ça, Marilou ! Elle est *cute* et elle est loin, ce qui m'arrange pas mal !

Je lui ai donné un coup de coude dans les côtes et il a éclaté de rire.

Moi : Pas question ! Marilou, c'est pas touche !
Lui : OK ! OK ! Mais je dois avouer que je trouve ça cool d'être célibataire. Je pense que je m'acharnais beaucoup à revenir avec Katherine parce que je ne suis pas habitué à ce qu'on me rejette.
Moi : Ben là ! C'est évident ! Ça t'a sérieusement pris deux mois pour réaliser ça ? Ce qui me décourage un peu, c'est que tu me fais beaucoup trop penser à Maude quand tu dis ça. Mais en moins *bitch*.

Lui : Tiens, c'est vrai ça ! Maude était intéressée ! Je pourrais peut-être la relancer ?

Je lui ai lancé un regard assassin, et il a compris qu'il ne pouvait même pas faire de blague à ce sujet !

En résumé, je me suis dit que ça te remonterait le moral de savoir que Félix te trouve *cute* !

Donne-moi vite des nouvelles !
Léa xox

06-05 10 h 11

Léa ! Je suis au lit depuis dimanche. Mon rhume s'est transformé en bronchite et j'ai de la misère à sortir du lit sans être essoufflée ! As-tu des nouvelles d'Éloi ?

06-05 10 h 13

Pauvre Lou ! Si j'étais là, je te préparerais de la soupe poulet et nouilles (celle que tu aimes et qui est beaucoup trop salée) et je t'achèterais des tonnes de magazines ! J'ai croisé Éloi en arrivant à l'école, ce matin. On s'est donné rendez-vous après les cours. Soupir.

06-05 10 h 15

OUI ! Je veux une soupe au sel avec des biscuits soda ! Ma mère m'a loué trois films, alors, au moins, j'ai de quoi occuper ma journée. JP est censé me visiter ce soir ou demain, si je ne vais pas mieux... Es-tu nerveuse ?

06-05 10 h 17

Full ! J'ai été bien forte ces derniers jours, mais quand je l'ai vu ce matin, j'ai senti mon cœur craquer. Je ne veux vraiment pas le perdre ! ☹ Et en plus, je dois me méfier de Maude. Je ne lui ai rien dit encore, et je ne sais pas trop à quoi m'attendre. J'ai peur qu'elle m'humilie devant toute la classe !

06-05 10 h 18

Elle m'énerve tellement !

06-05 10 h 18

Moi aussi ! Elle m'énerve encore plus aujourd'hui avec ses cheveux parfaits et son jean bleu royal. Je voulais m'acheter le même ! Pourquoi est-elle si parfaite ?

06-05 10 h 19

« Parfaite », c'est un grand mot. C'est le diable en personne ! Elle te fait du chantage et elle utilise ses amis pour obtenir ce qu'elle veut !

06-05 10 h 20

T'as raison ! J'aime autant avoir les cheveux légèrement ondulés et grichous par moments qu'être comme elle ! Je n'ai pas son sourire Crest, ni son corps parfait, mais au moins, je ne suis pas machiavélique !

06-05 10 h 22

Tu as bien raison ! Et je voulais aussi te remercier pour ton courriel d'hier. Même si j'ai un chum, ça remonte toujours l'estime de savoir que le gars que j'ai aimé secrètement pendant des années me trouve *cute* ! Surtout qu'en ce moment, j'ai le visage bouffi, le nez rouge et les cheveux hirsutes. Même la tortue de mon frère a peur de moi !

06-05 10 h 23

Je savais que ça te ferait plaisir ! ;) OK, je te laisse ! Le prof de français s'en vient vers moi ! Xx

À : Marilou33@mail.com
De : Léa_jaime@mail.com
Date : Jeudi 8 mai, 19 h 02
Objet : Quelle semaine !

Salut, Lou !
Je m'excuse de ne pas t'avoir écrit avant ! J'avais un gros examen de maths aujourd'hui, alors j'ai passé les deux derniers jours à me remettre de mes émotions en étudiant comme une folle. Une chance que mon père m'a aidée à comprendre, parce que je pense que j'aurais sans doute coulé.

Es-tu retournée à l'école ou est-ce que tu es encore au lit ? Je m'inquiète, alors donne-moi des nouvelles très vite, OK ?

Moi, j'ai vécu une semaine de fou. Tout a évidemment commencé mardi. La prof m'a vue en train de t'écrire des messages textes et elle a confisqué mon cellulaire pour le reste de la journée (ce qui explique pourquoi je n'ai pas pu te tenir au courant des développements au fil des heures). Maude en a évidemment profité pour lâcher un « Ce n'est vraiment pas ta semaine, Léna ! Non seulement ton chum casse avec toi, mais en plus, tu te fais humilier en laissant un message bidon à un blogueur pour essayer de le récupérer, et tu te fais confisquer ton téléphone ! »

Elle a dit ça assez fort pour que toute la classe entende. J'ai remarqué que certaines personnes riaient et semblaient déjà avoir été mises au courant de mon épisode Manu, tandis que d'autres se questionnaient et voulaient en apprendre davantage. Après le cours, je suis allée voir Maude pour tirer les choses au clair avec elle. J'étais humiliée et je fulminais.

Moi : T'es contente, là ? T'as eu ce que tu voulais ? Tu m'as assez humiliée devant la classe ?
Elle (d'un air mesquin) : Je n'ai pas eu ce que je voulais encore ! As-tu pris ta décision ? Si tu me laisses ta place au journal, je te promets que je ne ferai pas plus de dommages. Je te laisserai même tranquille jusqu'à la fin de l'année !
Moi : Et si je dis non ?
Elle : Alors, toute l'école va savoir qui est Léna Oliviera. Je peux t'assurer que tu ne seras pas au bout de tes peines avec moi.
Moi (en me rapprochant d'elle pour la mettre au défi) : Je ne suis jamais au bout de mes peines avec toi ! Tu ne me fais pas peur, Maude. Et il est hors de question que je te cède ma place au journal.

Je suis partie et je suis allée rejoindre Annie-Claude et Éric qui étaient déjà installés à une table de la cafétéria. J'ai aperçu Éloi qui discutait avec Marianne près de la cantine. J'ai eu un pincement au cœur, mais je me suis efforcée de ne pas le montrer à mes amis.

J'étais en train de manger mon sandwich dégueu aux œufs quand l'interphone de l'école s'est mis à gricher.

« Un deux, un deux », avons-nous alors entendu. J'ai tout de suite reconnu la voix de Maude. Je suis devenue livide.

« Ce message s'adresse à tous les élèves de l'école. Je sais que les temps sont durs et que nous avons beaucoup d'examens ces temps-ci, alors j'ai pensé vous distraire en vous faisant écouter un petit clip de Léa Olivier, ou plutôt devrais-je dire Léna Oliviera, la petite, et c'est le cas de le dire, nouvelle de secondaire 3. La pauvre s'est fait *flusher* par son chum pour une deuxième fois en moins d'un an, et elle cherche désespérément à trouver une façon de revenir avec lui. Voici ce qu'elle a enregistré sur le site d'un blogue afin d'obtenir des conseils pour le ravoir. Bonne chance, *Léna* ! »

J'ai vu qu'Éloi me regardait d'un air bizarre. Les larmes me sont montées aux yeux et j'ai baissé la tête pour éviter que les gens s'en aperçoivent.

« Ben... allo Manu... Je m'appelle Lé... na Oliv-v-viera, et je t'écris, ou plutôt je te parle, parce que... heu... ben, mon chum a pris un *break*, euh..., c'est-à-dire une pause de moi, ben... de nous, et je sais pas trop quoi faire. Genre, est-ce que je suis censée lui avouer, genre... qu'il me manque et que je l'aime VRAIMENT, ou genre BIP ! »

Elle a fait jouer l'enregistrement intégral de ma question à l'interphone pour que tout le monde l'entende. Quelques élèves ont ri tout bas, mais la plupart se sont contentés de me regarder avec un mélange de tristesse et de pitié. J'ai entendu le directeur faire irruption derrière Maude et éteindre l'appareil. J'espérais au moins qu'il lui colle une retenue.

Il y a eu un long moment de silence dans la cafétéria, puis les murmures ont repris tranquillement. J'avais trop honte pour bouger ou réagir. Annie-Claude et Éric m'ont finalement prise par les épaules et m'ont demandé de les suivre.

Je suis sortie de la cafétéria sous les regards curieux des autres élèves. Je savais que Maude était capable du pire, mais je n'avais jamais cru qu'elle se rendrait jusque-là. Mes amis m'ont conduite dehors pour que je puisse prendre un peu d'air.

Annie-Claude (en me forçant à m'asseoir à une table à pique-nique) : Ça va te faire du bien. Tu es un peu blême.
Moi (en regardant toujours par terre) : Ça doit être à cause de mon sandwich aux œufs. Il était vraiment dégueu.

Éric : Laisse faire le sandwich ! Je sais que c'est Maude qui t'a mise dans cet état-là ! Elle est pire que je pensais. Pourquoi a-t-elle fait ça ?
Moi : Parce que je n'ai pas voulu lui céder ma place au journal.
Éric : La *bitch* ! Tu aurais dû m'en parler, Léa. Je t'aurais aidée à éviter que ça se rende jusque-là.
Jeanne : Tu aurais dû me le dire, à moi aussi ! Je lui aurais parlé dans le casque.

J'ai levé les yeux et j'ai vu que Katherine et Jeanne s'étaient jointes à nous.

Moi : Je ne voulais pas vous mêler à tout ça.
Jeanne : Katherine vient de me raconter le chantage qu'elle t'a fait. Elle est vraiment allée trop loin, cette fois-ci !
Katherine : Je m'excuse, Léa. Je ne pensais jamais que ça allait dégénérer à ce point-là. J'aurais dû intervenir et lui dire de te laisser tranquille.

J'ai levé les yeux vers mes amis et j'ai senti les larmes couler sur mes joues. Annie-Claude s'est assise près de moi et m'a consolée.

Félix : Elle est où, la petite conne ?

J'ai levé la tête et j'ai vu mon frère qui approchait à grandes enjambées, les joues rougies par la colère. Il s'est tout de suite approché de moi et m'a prise dans ses bras, ce qui a fait redoubler mes larmes.

Félix : Ne te laisse pas atteindre par elle, Léa. Tu vaux mieux que ça. Dis-moi plutôt où elle se trouve que je lui règle son compte.

Même si je me sentais humiliée, j'étais fière de voir mon frère qui se portait aussi vivement à ma défense et de savoir que j'avais des amis qui m'appuyaient.

Moi : Laisse tomber, Félix. Je ne veux plus rien savoir d'elle. Je ne veux plus lui parler, et je ne veux surtout pas que vous dépensiez vos énergies à me défendre. Le mal est fait.

Katherine s'est approchée de nous et s'est assise tout près de Félix pour me prendre la main.

Katherine : C'est comme tu veux, Léa, mais ton frère a raison. Il ne faut surtout pas que tu te laisses abattre à cause de ça. Les gens vont vite passer à autre chose, et je t'assure que c'est Maude qui a le plus à perdre dans cette histoire. C'est elle qui va regretter de t'avoir humiliée comme ça et qui va se retrouver toute seule.

On a continué à discuter. Je me sentais un peu plus légère, mais je n'avais aucune envie de retourner en classe et de devoir affronter le regard et les jugements de ceux qui ne me connaissaient pas. Jeanne m'a prise par le bras pour que j'affronte la foule avec elle. Je me suis levée et je m'apprêtais à suivre mes amis quand j'ai vu Éloi qui se tenait à l'écart. J'étais tellement sous le choc que je n'avais même pas eu le temps de penser à lui, ni à ce qu'il avait pu ressentir en écoutant mon message pathétique.

Moi (en m'adressant à mon frère et à mes amis) : Merci, tout le monde. Je vous rejoins tout de suite, OK ? J'ai un petit mot à dire à Éloi.

Ils sont retournés dans l'école et Éloi s'est avancé vers moi. Il m'a prise dans ses bras avant même que j'aie ouvert la bouche. Je l'ai serré contre moi, puis j'ai reculé doucement. Je ne voulais surtout pas qu'il agisse comme ça par pitié.

Lui (d'une voix douce) : Ça va ?
Moi (d'un ton sarcastique) : Super. Super journée.
Lui (en riant) : Je vois que tu n'as pas perdu ton sens de l'humour. C'est bon signe !

J'ai souri et je suis retournée m'asseoir à la table de pique-nique.

Lui : Léa, je suis désolé pour le message de Maude... et je m'excuse d'avoir douté de toi quand tu disais qu'elle était vraiment méchante avec toi.

Moi : En fait, j'accusais toutes les nunuches... Peut-être à tort. Jusqu'à preuve du contraire, elles n'ont rien à voir dans le plan machiavélique de Maude...
Lui : Je voulais aussi te dire que ça m'a vraiment touché, ton message.
Moi : Quel message ?
Lui : Le message que tu as enregistré à propos de nous deux.
Moi : Tu parles de mon appel à l'aide pathétique où je n'ai même pas été capable de prononcer mon faux nom ?
Lui : Je parle du gentil message que tu as enregistré parce que tu ne savais plus quoi faire avec moi. C'est moi qui t'ai mise dans une situation horrible. Je m'excuse.
Moi (en le regardant dans les yeux) : Et ça veut dire quoi tout ça ? Que tu casses ou qu'on revient ensemble ?

En guise de réponse, il m'a embrassée. Je ne sais pas si c'est son séjour à Québec ou mon enregistrement douteux qui lui a permis de se brancher, mais pendant quelques secondes, j'ai arrêté d'en vouloir à Maude pour ce qu'elle m'avait fait.

Quand Éloi et moi sommes retournés dans l'école, les cours étaient sur le point de commencer, mais le directeur m'a interceptée pour me demander de le suivre dans son bureau.

Je me suis assise et j'ai posé les mains sur mes genoux comme une gentille petite fille.

Moi : Qu'est-ce qui se passe ?
Lui : Léa, je suis désolé de ce qui s'est passé ce midi. Maude n'avait aucun droit de pénétrer dans le bureau de la secrétaire et d'utiliser l'interphone. Elle avait encore moins le droit de profiter de la situation pour t'intimider de cette façon.

J'ai acquiescé légèrement, ne sachant pas trop quoi ajouter.

Lui : Je voulais simplement te dire qu'elle a été suspendue pour le reste de la journée et que nous avons déjà contacté ses parents pour les mettre au courant de ce qu'elle avait fait. Je voulais aussi te dire... Que si tu es victime d'intimidation... tu peux toujours venir nous voir.
Moi : Merci, c'est gentil.

Il m'a fait un signe de tête et m'a regardée dans le silence le plus complet pendant plusieurs secondes. Je pense qu'il s'attendait à ce que j'éclate en sanglots ou que je lui dévoile mes plus grands secrets. J'ai fini par me lever doucement en lui promettant de revenir s'il y avait quoi que ce soit.

Avec tout ça, je suis arrivée en retard au cours d'anglais. Quand je suis entrée dans la classe, tout le monde me regardait d'un air curieux, comme si je débarquais directement d'une autre planète. Disons que j'aurais pu me passer de cette attention. J'ai tendu le billet que m'avait écrit le directeur à mon prof, puis je suis allée m'asseoir à côté de Jeanne, qui m'a aussitôt fait un clin d'œil. J'ai jeté un coup d'œil rapide vers Sophie et Lydia qui me souriaient d'un air provocateur. Apparemment, la suspension de leur dictatrice ne les avait pas effrayées outre mesure !

Les jours qui ont suivi se sont déroulés dans une ambiance relativement calme. Maude est revenue en classe hier matin en faisant comme si de rien n'était. Elle ne m'a pas adressé la parole, parce qu'elle sait que ça pourrait lui causer des ennuis avec la direction, mais je la vois parfois rigoler avec ses disciples en me dévisageant. Jeanne et Katherine refusent de lui parler depuis ce qui s'est passé, et j'ai vu son air surpris quand elle m'a vue embrasser Éloi. Son orgueil doit en souffrir, car non seulement ses amies l'ont laissée tomber, mais son plan est loin d'avoir fonctionné !

Désolée d'avoir écrit un aussi long roman, mais je n'arrive pas à te joindre au téléphone, et je voulais vraiment te raconter tous les détails de ma mésaventure.

La bonne nouvelle, c'est que mon examen est fini et que j'ai officiellement repris avec Éloi. La mauvaise nouvelle, c'est que plusieurs personnes que je ne connais pas rigolent parfois en chuchotant quand je passe près d'eux, et qu'il me reste environ quarante examens et devoirs d'ici la fin de l'année !

Je te laisse, mais donne-moi des nouvelles ! Je veux m'assurer que tu vas mieux !
Léa
Xox

Samedi 10 mai

12 h 05

Jeanne (en ligne) : Salut !

12 h 05

Léa (en ligne) : Coucou ! Ça va ?

12 h 05

Jeanne (en ligne) : Oui, toi ? T'as passé une belle soirée de retrouvailles avec Éloi ?

12 h 06

Léa (en ligne) : Oui ! Il faisait super beau, alors on est allés se promener en ville.

12 h 06

Jeanne (en ligne) : Ça, c'est plus ton genre d'activités ! ;)

12 h 07

Léa (en ligne) : Exact ! Et toi ?

12 h 08

Jeanne (en ligne): J'ai passé la soirée chez Alex. Ses amis sont venus nous rejoindre et c'était très cool! En fait, j'étais de super humeur jusqu'à ce que Maude m'appelle ce matin...

12 h 09

Léa (en ligne): Hum! Qu'est-ce qu'elle voulait? Te faire croire que j'avais une maladie contagieuse?;)

12 h 11

Jeanne (en ligne): Non... Au début, elle jasait de la pluie et du beau temps comme si de rien n'était, puis elle m'a parlé de José, du fait que leur relation allait mieux depuis qu'ils avaient repris. Je la laissais parler sans rien dire, et elle ne semblait même pas se rendre compte que j'étais fâchée!

12 h 12

Léa (en ligne): Ça ne m'étonne pas vraiment...

12 h 12

Jeanne (en ligne): Puis elle a fini par me demander si j'avais envie d'aller magasiner avec elle aujourd'hui. Je lui ai dit non, et j'ai expliqué que je trouvais qu'elle était allée beaucoup trop loin et que je n'avais plus envie d'entretenir une amitié aussi malsaine.

12 h 13

Léa (en ligne): Et qu'est-ce qu'elle a répondu?

12 h 14

Jeanne (en ligne): «Ben là! Ça fait genre sept ans qu'on se connaît! Ne viens pas me faire croire que tu vas prendre le parti de la nouvelle? Tu ne sais pas ce qu'elle me fait endurer depuis le début de l'année! J'ai juste voulu la remettre à sa place!»

12 h 15

Léa (en ligne): *OMG!* Je ne lui ai jamais rien fait!

12 h 16

Jeanne (en ligne): Je sais! Je lui ai dit que je m'ennuyais de l'ancienne Maude, celle qui avait tout un caractère, mais qui n'aurait jamais osé descendre aussi bas. Elle a raccroché d'un ton un peu offusqué, mais je m'en fiche!

12 h 18

Léa (en ligne): Merci de m'avoir défendue! ☺

12 h 21

Jeanne (en ligne): Ah, oui! Je voulais aussi te parler de ma fête. Comme ça tombe un mardi, je pensais organiser une petite fête chez moi samedi prochain. Je vais créer un événement sur Facebook, alors ça me permettra d'inviter plus de monde, genre ton frère, quelques-uns de ses amis et les copains d'Alex.

12 h 23

Léa (en ligne): Cool! Ça va faire du bien un party après la semaine qu'on vient de vivre!

12 h 24

Jeanne (en ligne): Je sais! Bon, faut que je file à mon entraînement de tennis. À lundi! Xx

À : Léa_jaime@mail.com
De : Marilou33@mail.com
Date : Dimanche 11 mai, 14 h 04
Objet : La lumière au bout du tunnel !

Salut, Léa !
Je m'excuse de t'avoir délaissée ces derniers jours ! J'ai lu ton courriel, mais je n'avais pas la force (physique) de te raconter ce qui se passait de mon côté. As-tu reçu mon message texte jeudi ? Celui qui disait que j'étais fière de toi, et que j'étais contente que les choses se soient arrangées avec Éloi ?

Moi, je suis restée alitée jusqu'à jeudi soir, et vendredi, j'ai enfin senti que les antibiotiques faisaient effet, alors je me suis traîné les pieds jusqu'à l'école pour faire un test de français. Steph m'a remis tous les devoirs et les leçons que j'ai ratés cette semaine, et je travaille là-dessus depuis vendredi, alors ma vie est loin d'être palpitante.

JP est finalement passé me voir, mercredi soir. Il est arrivé avec deux devoirs de maths et un chandail que j'avais oublié chez lui. J'avoue que j'étais un peu déçue. Il me semble qu'il aurait pu m'apporter un magazine, ou une petite surprise pour me montrer qu'il pensait à moi, non ? Crois-tu que c'est moi qui commence à délirer et à chercher des problèmes ?

J'ai peut-être passé trop de temps toute seule, et je suis en train de devenir folle ! Lol !

Vendredi soir, je lui avais proposé de passer la soirée chez moi, mais il avait déjà promis à Thomas de l'accompagner dans une foire de bidules électroniques, alors je n'ai pas insisté. Après tout, je suis une femme indépendante ! ;) Ce matin, il m'a finalement envoyé un texto pour prendre de mes nouvelles et savoir si je voulais qu'il vienne faire un tour. Je lui ai dit que ce n'était pas nécessaire, parce que je devais finir mes devoirs. Il me propose de passer quand ça l'arrange, et je voulais lui montrer que ça ne peut pas toujours aller comme il veut, quand il veut !

Hier soir, Laurie est passée ici (avec des beignes au miel, ce qui m'a fait penser à toi), et j'ai décidé de partager mes frustrations avec elle. Comme elle est entrée dans une phase « féministe enragée », je me suis dit qu'elle me comprendrait. J'avais vu juste ! Elle dit que c'est important d'être dans une relation d'égal à égal, et que je devrais m'expliquer avec JP si je sens qu'il ne me respecte pas.

Je vais continuer mes devoirs... Beurk ! Au moins, ça se termine !! J'ai hâte aux vacances, tu ne peux même pas savoir à quel point ! Parlant de ça, mes parents m'ont dit qu'ils étaient en train d'organiser leur été, et qu'ils me donneraient des nouvelles la semaine prochaine pour qu'on puisse prévoir ce que l'on va faire.

Je pense à toi !
Lou xox

À : Marilou33@mail.com
De : Léa_jaime@mail.com
Date : Mercredi 14 mai, 18 h 21
Objet : Après la pluie...

Coucou !
Premièrement, je veux revenir sur ce que tu m'as raconté à propos de JP. Je pense que tu as raison de réclamer plus d'attention et de lui faire comprendre que ça ne peut pas toujours se dérouler selon ses exigences, mais prends garde de ne pas trop te laisser emporter par les élans de Laurie. Je l'aime beaucoup, mais tu sais comme moi qu'elle a tendance à exagérer. Bref, je persiste à dire que tu devrais d'abord en parler à JP pour qu'il sache comment tu te sens. Je ne veux pas remettre en doute tes capacités de nouvelle femme indépendante, mais JP, c'est un gars, et il a peut-être besoin de se faire expliquer clairement ce que tu attends de lui. Lol !

De mon côté, la vie est relativement calme depuis mes déboires de la semaine dernière. Maude a décidé de concentrer ses énergies à détester une fille de secondaire 2 qui a osé draguer José dans un party (pour l'avoir déjà vu à l'œuvre, je sais qu'il ne doit pas être tout à fait innocent), ce qui me permet de respirer un peu mieux. D'un autre côté, j'avoue que je me sens mal pour cette pauvre fille, parce que je sais maintenant que Maude est capable du pire.

Avec Éloi, je dois avouer que je m'attendais à ce que les choses soient un peu plus roses entre nous. Je suis contente de le retrouver, et on s'obstine beaucoup moins qu'avant, mais c'est comme s'il y avait un malaise entre nous. Je sens qu'il a parfois peur d'être lui-même parce qu'il sait qu'on est différents sur certains points et qu'il ne veut pas que je le juge, et moi, j'ai peur de dire ce que je pense parce que je ne veux pas le blesser. J'imagine que ça va se replacer au fil des semaines... Mais disons que pour l'instant, ce n'est pas *full* naturel, notre affaire.

Et comme tu sais, j'ai passé beaucoup de temps avec Jeanne et Alex au cours des dernières semaines, et je ne peux pas dire qu'Éloi soit *full* à l'aise de me voir aussi complice avec Alex. Il m'avait déjà envoyé quelques pointes avant notre pause, mais je ne pensais pas qu'il était sérieux. Je croyais plutôt qu'il allait être content que je m'entende bien avec lui puisqu'ils sont de bons amis, surtout qu'Alex a l'air sincèrement content que les choses se soient arrangées entre Éloi et moi, et qu'il n'a jamais manifesté de mécontentement lorsque j'ai commencé à sortir avec lui.

Tout a commencé en fin de semaine, quand Éloi et moi discutions des moments qu'on avait passés séparés l'un de l'autre.

Lui : Je me sentais vraiment seul. Je m'arrangeais pour me distraire le plus possible, mais je ne parlais de toi à personne, et ça me faisait sentir encore plus triste.
Moi : Tu aurais dû te confier, Éloi. Ce n'est pas bon de tout garder en dedans.
Lui : Ouais, je sais... Mais tu vois, les gars, c'est différent des filles. On ne parle pas vraiment de ces choses-là entre nous.
Moi : En tout cas, moi je ne me gênais pas pour en parler à Félix et à Alex...
Lui : À Alex ? Comment ça, tu en parlais à Alex ? Depuis quand vous parlez de ces choses-là ?
Moi : Ben, depuis quelques semaines. Je me suis beaucoup rapprochée de lui et de Jeanne, et il est *full* à l'écoute. Je comprends que ce soit ton bon ami. Il est vraiment cool.
Lui (un peu froid) : Je pensais que tu le savais déjà puisque tu l'as fréquenté avant moi...
Moi (sur la défensive) : Ben non ! C'était complètement différent à cette époque-là. On s'amusait ensemble, mais on ne parlait pas vraiment de choses sérieuses.

On dirait que je suis plus à l'aise avec lui depuis qu'on ne sort plus ensemble...

Je me suis arrêtée quand j'ai vu la mine d'Éloi. J'ai compris que mes paroles l'avaient blessé. Comme les choses sont encore un peu bizarres entre nous, il pense peut-être que je suis plus à l'aise avec Alex qu'avec lui, et ça lui semble peut-être bizarre que je sois amie avec mon « ex ». Je pensais qu'Éloi allait trouver ça normal, puisque Alex est un bon gars (surtout comparé aux nunuches), mais peut-être qu'à ses yeux, c'est aussi bizarre pour lui de me voir amie avec Alex que moi de le voir rigoler avec Marianne ?

J'ai préféré changer de sujet, mais lorsqu'on est tous allés au parc hier midi pour célébrer l'anniversaire de Jeanne, j'ai bien vu qu'il n'avait toujours pas digéré le fait que nous soyons de si bons amis. Nous étions en train de pique-niquer lorsque Patrick (un ami d'Alex), Alex et Éloi ont décidé d'agripper Jeanne et de la transporter jusqu'à la fontaine. Ils l'ont déposée dans le bassin et elle avait de l'eau jusqu'aux cuisses. J'ai tellement ri que j'ai failli m'étouffer avec mon jus.

Alex (en revenant à la course vers moi) : Tu trouves ça drôle ?
Moi : Oui, très drôle ! Je pense que c'est une bonne façon de célébrer son anniversaire !

Alex : C'est vrai ! Et quand j'y pense, je n'ai pas eu la chance de te jeter à l'eau pour ta fête !
Moi : Non, mais tu auras la chance de te reprendre lorsqu'on ira à La Ronde ! Comme je te disais, j'ai tendance à avoir mal au cœur dans les manèges, alors je suis sûre qu'un tour dans la fontaine me fera du bien.
Alex : Et si je n'avais pas envie d'attendre jusque-là ?

Alex m'a regardée avec un air de défi. J'ai compris qu'il s'apprêtait à m'attraper pour que j'aille rejoindre Jeanne dans le bassin. Je suis mise à courir, mais il m'a rattrapée en quelques foulées. Je me suis débattue en battant des pieds, mais il était beaucoup plus fort que moi. Il m'a transportée dans ses bras jusqu'à la fontaine et je me suis retrouvée aussi avec de l'eau jusqu'aux cuisses ! Une partie de ma jupe était trempée, mais je riais aux éclats. Je suis allée rejoindre Jeanne, qui était assise sur le bord de la fontaine.

Moi (en riant) : Ce n'est pas juste ! C'est TA fête ! C'est à toi seule de te faire tremper !
Jeanne (en riant aussi) : Ouais, mais il ne faut jamais sous-estimer Alex !

Alex était en train de rigoler avec quelques-uns de ses amis. Annie-Claude, Katherine et deux autres filles de notre classe étaient assises sur une couverture et profitaient du beau temps.

Jeanne : Qu'est-ce qui se passe avec Éloi ?

Je me suis tournée vers les balançoires, et je l'ai vu qui errait seul. Il avait l'air perdu dans ses pensées.

Moi : Euh... Je ne sais pas ! Pourquoi il se tient à l'écart comme ça ?
Jeanne : Peut-être qu'il est jaloux qu'Alex t'ait transportée dans la fontaine ?
Moi : Ben voyons ! C'était une blague ! Il me semble qu'il n'a aucune raison d'être jaloux. En plus, je lui ai déjà expliqué qu'on était devenus les trois mousquetaires.

Alex est venu nous rejoindre et on s'est mis à s'éclabousser tous les trois. Je savais que je devais aller rejoindre Éloi pour le rassurer et lui accorder de l'attention, mais pendant quelques instants, j'avais simplement envie de profiter du moment sans me tracasser avec le reste.

J'ai fini par laisser Jeanne et Alex terminer leur bataille d'eau, et je suis allée retrouver Éloi qui se balançait doucement.

Moi : Ça va ?
Lui : Ouin...
Moi : Pourquoi tu t'isoles comme ça ?
Lui : Bof, je ne me sens pas super sociable en ce moment. En fait, j'avais plus envie de passer un moment seul avec toi.

Il m'a attirée vers lui et m'a embrassée. J'ai finalement essayé de me dégager doucement pour me tourner vers mes amis, mais il m'a retenue contre lui.

Lui : Non ! Reste avec moi encore un peu.
Moi : Mais on est venus ici tous ensemble pour célébrer la fête de Jeanne ! Je n'ai pas envie qu'on reste assis tout seuls dans un coin. Viens, on va aller rejoindre les autres.
Lui (en se fâchant) : Pourquoi tu ne veux jamais passer du temps avec moi ? Je pensais que si on était revenus ensemble, c'était justement pour que les choses changent, non ?
Moi (un peu surprise) : Euh... Oui, je suis d'accord qu'on voulait que les choses changent, mais je ne comprends pas pourquoi tu dis que je ne veux jamais passer de temps avec toi. Ce n'est pas vrai du tout ! On a passé la fin de semaine ensemble, tous les deux. Je dis simplement que lorsqu'on fait une activité de groupe, je ne me sens pas *full* à l'aise de m'isoler dans un coin ! Ça m'a pris des mois avant de me faire des amis, alors je ne veux pas les abandonner parce que j'ai un chum ! Je pense qu'il y a moyen de faire des compromis et de passer du temps avec eux.
Lui (en se levant d'un air bourru) : C'est bon. Reste ici avec tes amis. Moi, je vais rentrer.

Il est parti sans que j'aie le temps d'ajouter quoi que ce soit. Jeanne et Alex sont venus me demander si ça allait, et j'ai menti en leur disant qu'Éloi se sentait un peu grippé. Je n'avais pas envie d'admettre qu'après seulement une semaine de retrouvailles, notre couple recommençait à battre de l'aile. Quand je suis finalement retournée à l'école, Éloi est venu s'excuser. Il m'a dit qu'il se sentait plus sensible cette semaine, mais qu'il ne voulait surtout pas qu'on se dispute pour ça. Il m'a serrée très fort dans ses bras, et j'ai essayé de me convaincre que les choses allaient finir par se replacer.

Qu'est-ce que tu en penses ? Est-ce que tu crois qu'il a raison ? Est-ce que c'est normal que ce soit un peu bizarre entre nous ? Je sais que tu as tes propres problèmes de couple en ce moment, alors ne te gêne pas pour me dire que tu n'as pas envie de t'en mêler. En tout cas, on fait une belle paire, toi et moi ! C'est vrai que la vie est plus simple sans les gars !
Léa xox

À : Léa_jaime@mail.com
De : Marilou33@mail.com
Date : Samedi 17 mai, 13 h 04
Objet : C'est un abat !

Wow ! C'est vrai qu'on fait la paire. C'est drôle, parce que quand je lis ton courriel, je comprends quand même comment se sent Éloi. Ne va pas croire que je ne sympathise pas avec toi ; après tous tes mois de rejetitude et de remises en question, je trouve ça très cool que tu te sois fait une petite gang sur qui tu peux compter ! C'est juste que dans mon couple, c'est moi qui réclame de l'attention à JP, et c'est lui qui fait passer ses amis avant moi. Ne va pas t'imaginer que je pense ça de toi. Sérieusement, je trouve qu'Éloi dramatise un peu. Qu'est-ce qui s'est passé avec le gars indépendant et sûr de lui que j'ai rencontré au mois de janvier ? Comme tu dis, c'est peut-être juste une mauvaise passe, et ça va sûrement se régler avec le temps.

J'espère que les choses s'arrangeront aussi de mon côté. Disons que c'est encore un peu tendu avec JP. Comme j'ai passé la semaine entre la piscine, mes livres et mon petit frère, on n'a pas vraiment eu la chance de se voir, et encore moins de parler de nous. J'avais envie de passer la soirée d'hier avec lui, mais Sarah Beaupré avait déjà mis le grappin sur lui. Notre préférée a organisé une soirée de bowling, et elle a pris soin de dire à JP que j'étais la bienvenue si je voulais, question de paraître comme une gentille fille ouverte et mature devant lui. Hier midi, JP a donc passé une bonne demi-heure à essayer de me convaincre, et j'ai fini par abdiquer. Je me suis dit que si je ne faisais pas de compromis, on ne passerait jamais de temps ensemble.

J'ai regretté ma décision dès que j'ai mis le pied à la salle de quilles. Steph n'avait pu se joindre à nous, alors j'étais seule de mon clan, et Sarah avait invité trois de ses amies de secondaire 4 qui ont passé leur temps à me dévisager. C'est officiellement le groupe des cheveux teints. Sarah avait finalement retiré son turban, et j'ai vu que seules les pointes de ses cheveux étaient roses. Le reste était encore blond comme les tiens. Ce qui m'énerve encore plus, c'est que je suis forcée d'admettre que ça lui va bien. Les quatre filles avaient enfilé des shorts en jean tellement courts et serrés que je me demandais comment le sang faisait pour circuler dans leurs jambes. J'ai malheureusement réalisé que leur accoutrement avait réussi à attirer l'attention des gars, même de mon chum.

Quand Géraldine (une amie de Sarah qui a un tatouage sur la cheville et les cheveux teints en rouge) s'est penchée pour lancer sa boule, j'ai remarqué que JP la regardait en souriant.

Moi : C'est quoi, l'affaire ? Tu m'as invitée ici pour que je te regarde observer les autres filles avec un sourire d'imbécile heureux ?
Lui : Relaxe, Lou ! Je souriais parce qu'elle a fait un abat !

Je me suis tournée vers la nunuche (j'emprunte le nom pour mon histoire) aux cheveux rouges, et j'ai remarqué qu'elle avait bel et bien réussi à faire tomber toutes les quilles. Elle m'énervait encore plus.

La nunuche no 2 aux cheveux bleus s'est empressée de lancer sa boule pour réussir un abat à son tour.

Mon nom est ensuite apparu au tableau. C'était à mon tour. JP avait eu la brillante idée de m'inscrire dans l'équipe des filles teintes au lieu de me laisser jouer avec lui, Thomas et Seb. Le traître. J'ai lancé, et ma boule s'est aussitôt retrouvée dans le dalot.

Les nunuches ont gloussé, et j'ai vu Sarah leur décocher un clin d'œil. Puis, en tant que reine des hypocrites, elle s'est tournée vers les gars en disant : « Allons, les filles. Ne vous moquez pas de Marilou ! Elle a moins d'entraînement que nous, mais elle a droit à sa chance ! »

Je bouillais. J'ai relancé ma boule avec une énergie que je ne me connaissais pas, et j'ai réussi à faire tomber toutes les quilles qui se dressaient devant moi. Je me suis retournée lentement vers Sarah et ses amies, qui me dévisageaient d'un air mécontent.

Moi (avec un sourire en coin) : Merci pour les encouragements, Sarah. C'est exactement ce dont j'avais besoin !
Elle (avec un air de mépris) : De rien.

Je suis ensuite allée retrouver JP et je lui ai dit que j'avais envie de rentrer.

Lui : Mais on vient à peine d'arriver ! Est-ce qu'on peut attendre la fin de la partie ? Tu as réussi une réserve en plus, et j'ai vu que tu t'entendais plutôt bien avec les filles !
Moi (d'un air exaspéré) : T'es donc bien naïf ! Ces filles-là ne veulent rien savoir de moi, JP ! Et je n'ai pas envie de perdre ma soirée ici ! Ça fait deux semaines qu'on ne passe pas de temps « de qualité » ensemble, et j'aurais aimé ça passer une soirée seule avec toi.
Lui : Je comprends, mais j'avais déjà promis à Sarah et à Thomas que je viendrais avec eux.
Moi : Fais comme tu veux. De toute façon, je suis habituée à ce que tu m'abandonnes. On dirait que tu n'as jamais envie de passer du temps avec moi ou de faire des sacrifices pour qu'on se voie plus souvent. Je commence à être tannée de me sentir seule dans cette relation.
Lui : Et moi, je commence à être tanné que tu me fasses des reproches.
Moi : Je pense que c'est mieux que j'y aille.

Je suis partie sans même saluer ses amis. Je pouvais déjà sentir le sourire satisfait de Sarah. Elle attendait sûrement que je parte pour que son amie Géraldine puisse accaparer JP.

Je me suis couchée avec une boule dans la gorge. Je commence vraiment à douter de la survie de mon couple, surtout avec les vacances qui s'en viennent. Présentement, l'école me permet de le voir pratiquement tous les jours, mais qu'est-ce qui me dit que JP va se forcer pour me voir pendant l'été ?

J'ai finalement reçu un message texte de lui au moment où je commençais à m'endormir. « Je m'excuse. On se voit demain soir ? »

Voilà une lueur d'espoir. Je te donne des nouvelles après ma soirée pour te raconter si les choses vont mieux.
Lou xox

Chapitre 8
En colonie de vacances, la si, la sol

Le Blogue de Manu

Inscris un titre : Éloi

Écris ton problème : Salut, Manu ! Premièrement, je veux te remercier de m'avoir sélectionnée pour la question enregistrée, et de m'avoir répondu, même si mon message était loin d'être clair. Disons que mon enregistrement m'a causé quelques ennuis, mais en fin de compte, je suis quand même contente de l'avoir fait, parce que ça m'a permis de réaliser qui étaient mes vrais amis et de reprendre avec mon chum Éloi.

Le problème, c'est que je sens que les choses sont encore un peu tendues avec lui. Je n'ai jamais vécu de pause dans une relation avant lui, alors je ne sais pas si c'est normal. On dirait qu'on marche tous les deux sur des œufs, et pour être bien honnête, des fois, j'ai l'impression qu'on est moins à l'aise comme couple que comme amis. Est-ce que ça veut dire que ça ne fonctionne plus, ou simplement qu'on a besoin d'un peu plus de temps pour permettre aux choses de revenir à la normale ?

Merci de m'aider à y voir plus clair !

Léa xox

Manu répond à deux questions par semaine. Tu seras peut-être choisie...

À : Marilou33@mail.com
De : Léa_jaime@mail.com
Date : Dimanche 18 mai, 14 h 21
Objet : Rien ne va plus

Salut, Lou !
Tout d'abord, laisse-moi te dire que je sympathise avec toi pour ta soirée ratée en compagnie de Sarah. Je n'en reviens pas à quel point elle est hypocrite ! Et le pire dans tout ça, c'est que les gars croient vraiment qu'elle est super gentille et que c'est nous qui sommes folles de la trouver conne ! En tout cas, je te trouve déjà bonne d'avoir fait le compromis de te pointer là-bas en sachant que tes amies n'y étaient pas, alors ne te sens pas mal d'être partie ! Et dis-toi que JP a fini par s'excuser, ce qui est quand même bon signe !

De mon côté, après avoir accepté les excuses d'Éloi, j'ai essayé de me convaincre que c'était normal qu'il soit un peu jaloux d'Alex et que les choses soient tendues entre nous, puisqu'on avait traversé une période plus difficile. J'ai aussi fait un effort pour passer plus de temps seule avec lui à l'école et pour lui accorder plus d'attention. Jeudi et vendredi, nous avons dîné dans le local du journal pour travailler sur nos prochaines chroniques. (La mienne portera sur les blogues. Éric trouvait ça important que j'explique en quoi celui de Manu vient en aide aux gens. Je me suis dit que ça me permettrait aussi de m'expliquer face à ceux qui ne comprennent toujours pas pourquoi la « petite nouvelle » de secondaire 3 a décidé de raconter sa vie sur un site Internet avant de se faire humilier par la nunuche en chef !)

Quand nous sommes seuls, je sens que la relation redevient un peu comme avant et qu'on peut être vraiment bien ensemble, mais dès qu'on est avec des gens, Éloi est un peu tendu, et moi, j'ai du mal à être naturelle parce que je sens que je dois m'occuper de lui.

La situation a atteint son paroxysme samedi soir, lors du party de fête de Jeanne. Elle avait créé un événement Facebook pour l'occasion, et en tout, je pense qu'on était entre trente et quarante personnes réunies dans son sous-sol ! Ses parents étaient en haut, mais ils ne nous ont pas dérangés une seule fois. C'est vraiment cool qu'ils lui fassent confiance à ce point-là. Je pense que mon père aurait des leçons à tirer de tout cela ! ;)

Je suis arrivée avec Félix vers 19 h 30. Mon frère voulait simplement faire un tour avant de se rendre dans un autre party de secondaire 5. Il avait réussi à convaincre quelques-uns de ses amis de venir le rejoindre chez Jeanne, ce qui avait l'air de faire le bonheur de beaucoup de filles de mon niveau.

Éloi est arrivé avec José, Alex et Alexis un peu après nous. Je m'apprêtais à m'asseoir à côté d'Alex sur le sofa quand Éloi m'a tirée vers lui et m'a prise dans ses bras.

Lui (en chuchotant) : Salut.
Moi (en riant un peu nerveusement) : Euh... Salut ! Est-ce que c'est correct si je m'assois ?
Lui (toujours en chuchotant) : Est-ce que c'est correct si on se colle un peu avant ?

Je me suis contentée de sourire et je l'ai laissé me serrer contre lui pendant plusieurs minutes. J'avais vraiment envie de rejoindre mes amis, mais je ne voulais pas le brusquer en lui proposant de se joindre aux autres. Je voulais être à l'écoute de ses besoins. (Tu devineras que cette dernière phrase n'est pas de moi. Ma mère m'a demandé comment ça allait avec Éloi vendredi soir, et j'ai décidé de tout lui raconter. Elle dit qu'il doit être insécure et que je dois être à l'écoute de ses sentiments et de ses besoins. Je l'ai regardée avec des yeux ronds. Elle s'est donc lancée dans une très longue analyse du couple et de l'importance d'être à l'écoute de l'autre. Je n'ai pas compris grand-chose, mais j'ai tout de même essayé de mettre ses conseils en application.)

Lorsque je me suis défaite de son étreinte, je me suis assise avec Jeanne, Alex et Alexis sur le sofa et j'ai commencé à rigoler avec eux. Je voyais qu'Éloi s'ennuyait. J'avoue que je ne le comprenais pas vraiment, puisque tous ses amis étaient présents et qu'il n'a jamais l'habitude de s'ennuyer dans les partys. Je lui ai finalement fait un signe de tête pour savoir si tout allait bien, et il s'est contenté de hausser les épaules.

Jeanne : Ça ne va pas avec Éloi ?
Moi : Je ne sais pas trop. Il est comme ça depuis qu'on a repris. J'ai l'impression qu'il voudrait qu'on soit toujours collés l'un sur l'autre, et ça m'étouffe un peu. Et je ne comprends vraiment pas son changement soudain d'attitude, parce qu'il était *full* indépendant avant notre pause.
Jeanne : Peut-être qu'il a juste besoin d'être rassuré et de sentir que tu tiens à lui.
Moi : Je pensais que le message humiliant que Maude a diffusé dans toute l'école avait été suffisamment clair, mais on dirait que non.
Jeanne : Il est jaloux d'Alex ?
Moi : Il dit que non, mais je suis sûre que oui ! D'un côté, je trouve ça un peu ridicule parce que c'est évident qu'Alex et moi, on est juste des amis, mais d'un autre, je le comprends un peu parce que je ne tolérais pas qu'il soit ami avec Marianne...
Jeanne : En parlant du loup !

Je me suis tournée vers l'escalier et j'ai aperçu Marianne, Sophie, Lydia et Maude qui faisaient leur entrée.

Jeanne (en désignant Maude) : Qu'est-ce qu'elle fait là, elle ?
Moi : Tu ne l'as pas invitée ?
Jeanne : Es-tu folle ? Je n'avais pas envie que mon party de fête dégénère en prise de bec ! Elle s'est sûrement invitée pour surveiller son José de près.

Je me suis alors tournée vers son chum, qui était justement en train de charmer une amie de mon frère. Maude s'est alors pointée devant lui, les mains sur les hanches et un fusil dans les yeux. Elle a rejeté sa longue crinière dorée derrière ses épaules et elle a fait comprendre à la fille de dégager. L'amie de mon frère s'est levée pour rejoindre ses amis. On peut dire ce qu'on voudra de Maude, mais elle a quand même assez de cran pour intimider une fille de secondaire 5 ! On a ensuite assisté à une dispute assez cinglante entre elle et José, qui a fini par abdiquer et quitter la fête. Maude a, quant à elle, passé le reste de la soirée à draguer tous les gars, sous le regard désespéré de Jeanne qui sentait véritablement qu'elle avait perdu l'une de ses bonnes amies.

J'ai quant à moi essayé de partager mon temps entre Éloi et mes amis. Vers la fin de la soirée, Jeanne a mis de la musique disco et Katherine et moi nous sommes précipitées vers l'espace du salon réservé à la danse. Alex est venu se joindre à nous, et nous nous sommes lancés dans l'interprétation d'un twist assez rigolo qui m'a laissée à bout de souffle !

Quand nous avons terminé, j'ai cherché Éloi du regard, mais je ne l'ai vu nulle part. J'ai fait le tour du sous-sol, mais sans succès. Je me suis dit qu'il avait peut-être décidé de partir, mais j'étais vraiment étonnée et déçue qu'il ne m'ait rien dit. Je suis allée jeter un dernier coup d'œil à la porte-patio du sous-sol qui donne sur une petite cour arrière, et j'ai aperçu Éloi qui discutait avec Marianne. J'ai eu un pincement au cœur, non pas parce qu'il parlait avec une autre fille, mais parce que je sentais qu'il le faisait un peu pour se venger. Il a levé les yeux vers moi et m'a fait un signe de la main. Je suis retournée dans le salon sans lui répondre.

Katherine m'a alors annoncé qu'elle s'en allait et m'a offert de partir avec elle.

Katherine : Ma mère peut te conduire chez toi sans problème.
Moi : Si ça ne te dérange pas, je vais accepter l'offre. Je n'ai plus vraiment envie d'être ici.

J'ai pris mon manteau en jean et je m'apprêtais à monter l'escalier lorsque Eloi m'a saisi le poignet. Katherine m'a fait signe qu'elle m'attendrait en haut.

Lui : Hey ! Tu t'en vas et tu ne comptais même pas m'avertir avant de partir ?
Moi (froide et distante) : Je ne voulais pas te déranger ! Tu avais l'air vraiment occupé.
Lui (en s'emportant un peu) : Ben voyons, Léa ! Me niaises-tu ? Tu as passé la soirée à rire avec tes amis et à danser avec Alex, et tu me fais une crise parce que je jase cinq minutes avec une fille ?
Moi : Le problème, ce n'est pas que tu jases avec une fille, c'est que tu te réfugies auprès de Marianne pour te venger parce que tu es jaloux d'Alex !
Lui : Rapport ?! Je ne suis pas jaloux d'Alex ! C'est mon ami ! Pourquoi je serais jaloux de lui ?
Moi : Alors pourquoi est-ce que tu fais une face de bœuf chaque fois que je ne suis pas collée contre toi ? J'essaie vraiment de te faire plaisir et d'être à l'écoute de tes besoins (merci, maman), mais on dirait que ce n'est jamais assez ! Qu'est-ce que tu attends de moi, Éloi ?
Lui : J'attends de sentir que ça clique autant qu'avant entre nous, mais on dirait que ce n'est pas le cas, et que quoi que je fasse, tu n'es jamais contente.
Moi : C'est toi qui n'es jamais content ! Tu as entendu devant tous les autres élèves à quel point je désespérais de revenir avec toi, et même ça, ce n'est pas assez ! Je ne peux pas m'arrêter de vivre pour être toujours avec toi et te rassurer sur mes sentiments 24 heures sur 24 !

Éloi m'a regardée d'un air triste sans rien ajouter.

Moi (en me calmant) : Je m'excuse d'être partie sans te le dire. C'est vrai que ça m'a énervée de te voir avec Marianne. Katherine m'attend en haut et je dois vraiment y aller. Est-ce qu'on peut s'en reparler demain ?

Il a hoché la tête et a soupiré avant de retrouver Alex et Alexis qui s'apprêtaient à faire la bascule à Jeanne. Je m'en voulais de partir et de le laisser gâcher cette soirée alors que j'avais envie de m'amuser avec mes amis, mais le mal était fait et je n'avais plus envie de rester là.

Ce matin, Éloi m'a appelée pour me proposer de passer l'après-midi ensemble et de discuter de ce qui s'est passé hier. Je dois le rejoindre à 15 h. Je te tiens au courant ! En attendant, je vais aller retrouver ma mère pour qu'elle me donne d'autres conseils auxquels je ne comprends rien, mais qui semblent bien utiles !

J'attends toujours de tes nouvelles à propos de ta soirée avec JP ! Qui a dit que le printemps était la saison des amours ?
Léa xox

À : Léa_jaime@mail.com
De : Marilou33@mail.com
Date : Mardi 20 mai, 19 h 54
Objet : Les astres !

Coucou !
Je te jure que si Sarah Beaupré lisait nos courriels, elle dirait que nos astres sont alignés ou alors qu'elle nous a jeté un sort pour que nos relations battent de l'aile en même temps !

Mon samedi soir s'est révélé aussi catastrophique que le tien ! JP est venu chez moi, mais comme mes parents et mon petit frère étaient là, nous nous sommes installés sur la véranda pour être tranquilles. Il m'a finalement demandé ce qui n'allait pas, parce qu'il me sentait distante et un peu fâchée depuis quelque temps.

Moi : J'avoue que j'ai peur de t'en parler.
Lui : Pourquoi ? Il me semble qu'on est censé parler de ces choses-là, non ?
Moi : Je sais, mais je ne sais pas trop comment aborder la chose avec toi, parce que j'ai peur que tu me dises que je dramatise encore et que je m'invente des tempêtes dans des verres d'eau !
Lui (en riant) : Je n'utiliserais jamais une expression comme ça, mais je vois ce que tu veux dire. J'aimerais tout de même que tu me dises ce qui te tracasse.

Moi : Ça revient un peu à ce que je te disais l'autre soir. Je sens souvent que tu n'es pas *full* là pour moi, et que c'est souvent à moi de faire des compromis pour qu'on se voie. On dirait que tu ne me fais jamais passer en premier, et ça me met mal à l'aise. Genre que tu aimes mieux passer du temps avec tes amis et jouer à des jeux vidéo qu'être avec moi. Tu me vois quand ça t'arrange, mais il n'est pas question que tu laisses tomber une soirée avec tes amis pour me voir.

Il m'a regardée sans rien dire. Mon cœur battait *full* vite. J'aurais aimé qu'il s'obstine aussitôt avec moi et qu'il dise que je m'en faisais pour rien, mais à la place, il restait là sans rien dire.

Moi : Ben là ! Tu ne vas pas me dire que je suis folle, que c'est tout dans ma tête et que tu m'aimes plus que tout au monde ?
Lui (d'un air un peu blasé) : Qu'est-ce que tu veux que je te dise, exactement ?
Moi (d'un air outré) : Je ne veux pas te dire ce que je veux entendre ! Je veux que tu me dises ce que tu penses, même si tu crois que ça peut me faire mal ! Je veux savoir ce que tu ressens, JP ! Ce n'est pas cool de sentir que je t'aime plus que toi tu m'aimes !

Il a hésité un moment, puis il baissé la tête.

Lui (d'un air un peu piteux) : J'avoue que des fois, je me demande si c'est vrai.
Moi (en sentant les larmes me monter aux yeux) : De quoi tu parles ?
Lui : Ce que tu viens de dire. Je sais que tu aimerais que je te rassure, mais je sais aussi que tu as raison. C'est vrai que tu fais plus d'efforts que moi, et c'est vrai que je fais passer mes amis en premier. Je sais que je t'aime encore, mais j'avoue que des fois, je me demande si tu ne tiens pas plus à la relation que...

Il n'a pas pu terminer sa phrase, car j'étais déjà en train de sangloter. Il m'a prise dans ses bras et m'a consolée pendant plusieurs minutes. Il me regardait avec une tendresse réelle, et je savais qu'une partie de lui était vraiment amoureux de moi, mais qu'une autre ne se sentait pas prêt à s'embarquer dans quelque chose d'aussi sérieux.

Moi (en sanglotant) : Ce n'est pas cool de me sentir plus impliquée que toi, et je ne sais pas trop quoi faire pour que ça change. Peut-être que je suis trop intense, ou que tu n'es pas prêt à être dans une relation sérieuse, ou que tu serais simplement mieux avec une fille plus calme...
Lui (d'une voix douce) : Je n'ai envie d'être avec personne d'autre, Marilou. Je te jure qu'il n'y a que toi dans mon cœur. Le problème, c'est que j'ai parfois l'impression que j'étouffe. C'est comme si c'était contre ma nature d'être dans une relation sérieuse.

Moi (en pleurant) : Et on fait quoi, maintenant ?
Lui (en m'embrassant) : On reste ensemble ! Je sais que ce n'est pas toujours évident, mais je ne suis pas prêt à te perdre. Laisse-moi un peu de temps pour m'habituer à tout ça, OK ?

J'ai souri et on s'est embrassés. Il a dû partir quelques minutes plus tard, et même s'il m'a en quelque sorte rassurée de vouloir rester avec moi, j'ai maintenant la certitude que je suis plus motivée que lui à entretenir la relation, et je pense que ça a brisé quelque chose. En tout cas, je me sens triste depuis ce soir-là, et je crois qu'une partie de moi fait déjà son deuil.

J'ai vraiment besoin de tes conseils ! Écris-moi dès que tu peux, OK ?
Lou xox

22-05 12 h 12

Lou? Je voulais t'écrire hier, mais j'ai dû terminer un travail avec Jeanne. Pauvre chouette... Je comprends tellement comment tu te sens. Ton histoire me replonge un peu dans mon histoire avec Thomas...

22-05 12 h 15

Il est assis à côté de moi, alors je ne peux pas trop entrer dans les détails, mais je me sens encore triste. Je vois bien qu'il essaie très fort de me rassurer, mais ses paroles m'ont blessée, et je ne sais pas si je peux continuer d'être avec lui en sachant que la relation n'est pas d'égal à égal.

22-05 12 h 18

Je comprends, mais essaie d'être positive! Il veut rester avec toi, après tout.

22-05 12 h 20

Ouais... Tu sais, moi aussi ça m'a fait penser à Thomas. En fait, je comprends maintenant beaucoup plus comment tu te sentais. Je m'excuse d'avoir été dure avec toi par moments. Je pense qu'on ne sait pas à quel point ça fait mal tant qu'on ne l'a pas vécu. ☹

22-05 12 h 22

Pas besoin de t'excuser, voyons ! Tu as été vraiment présente pour moi pendant toute cette période-là ! Et n'abandonne pas tout de suite. Thomas n'était pas prêt à se battre, mais ça se voit que JP tient vraiment à toi. Laisse-lui le bénéfice du doute, OK ?

22-05 12 h 17

Ouin, OK. Fait divers : Sarah est assise à la table à côté de nous et elle parle fort pour attirer l'attention. Elle m'énerve tellement.

22-05 12 h 19

Fait divers montréalais : Maude et Marianne sont aussi assises près de nous et se parlent en anglais pour *bitcher* contre moi. Je sais que je suis nulle, mais je suis encore capable de reconnaître les mots « Léa » et « *loser* » !

22-05 12 h 20

Elles sont jalouses de toi, c'est tout. N'embarque pas dans leur jeu ! Ça n'en vaut pas la peine.

22-05 12 h 21

Ouais, je sais ! Mais ce n'est pas facile, parce que je vois bien qu'elles parlent d'Éloi et moi. Apparemment, elles ont été témoins de notre chicane de samedi.

22-05 12 h 23

Laisse-les faire ! Si tu n'embarques pas dans leur histoire, elles vont se tanner et parler d'autre chose. Toi, avec Éloi, est-ce ça s'est réglé ?

22-05 12 h 25

Plus ou moins. On évite le sujet depuis samedi. Je sens qu'Éloi est plus indépendant, mais c'est encore un peu tendu... Je vais chez lui samedi parce qu'on doit étudier pour un examen du ministère, alors j'ai espoir que ça nous aide à nous rapprocher un peu.

22-05 12 h 26

Au pire, si nos relations échouent, on pourrait fuir genre à Iqaluit.

22-05 12 h 27

Ce n'est pas dans le Grand Nord, ça ? Beurk ! Pas question ! Si on se ramasse toutes les deux célibataires, on s'en va dans les Bahamas. Rien de moins !

22-05 12 h 29

J'embarque ! Merdouille ! JP vient de me faire comprendre que j'ai ENCORE un bout de carotte entre les dents (maudites broches), alors je vais aller régler ça aux toilettes. On se parle plus tard !

22-05 12 h 30

❤ À plus !

Dimanche 25 mai

13 h 15

Katherine (en ligne): Salut, Léa! As-tu fini d'étudier?

13 h 15

Léa (en ligne): T'es folle! Je pourrais étudier sans fin! Il y a encore plein de concepts que je ne comprends pas, alors j'espère que le ministère va être assez indulgent pour ne pas me poser de questions là-dessus!

13 h 16

Katherine (en ligne): Moi aussi! Une chance que Félix est venu me donner un coup de main hier, parce que je capotais!

13 h 16

Léa (en ligne): Est-ce que c'est un signe de réconciliation?

13 h 18

Katherine (en ligne) : Je ne pense pas. J'ai l'impression qu'il a un peu décroché. Il est là pour moi, mais il a passé la journée à envoyer des messages textes à une autre fille...

13 h 19

Léa (en ligne) : Comment tu le sais ?

13 h 20

Katherine (en ligne) : J'ai fouillé dans son cellulaire quand il est allé aux toilettes. Promets-moi de ne jamais lui dire ! Je me console en me disant qu'au moins, on est restés amis.

13 h 21

Léa (en ligne) : Je te promets ! Et je te comprends... Si je pouvais fouiller quelque part pour savoir comment Éloi se sent, je le ferais.

13 h 22

Katherine (en ligne) : Ça s'est bien passé, la soirée avec lui ?

13 h 23

Léa (en ligne): Oui, parce qu'Alex et Jeanne se sont finalement joints à nous pour étudier et ont créé une diversion. Mais j'avoue que je ne sais plus trop où il en est, et je suis un peu tannée de ne penser qu'à ça!

13 h 24

Katherine (en ligne): J'ai la distraction parfaite pour toi! Viens magasiner des robes de bal avec moi, la fin de semaine prochaine.

13 h 24

Léa (en ligne): Vendu! Ça va être cool! J'ai déjà hâte à notre bal de secondaire 5!

13 h 25

Katherine (en ligne): Je sais! Ça va être une super répétition pour moi! À condition que Félix ne m'abandonne pas pendant la soirée pour rejoindre sa nouvelle conquête... ;)

13 h 27

Léa (en ligne): Compte sur moi pour qu'il agisse comme un gentleman! Bon, je retourne étudier. On se voit demain! Xx

13 h 27

Katherine (en ligne): *Luv!*

À : Léa_jaime@mail.com
De : Marilou33@mail.com
Date : Mardi 27 mai, 18 h 03
Objet : Au secours !

Léa ! Où es-tu ? Je sais que tu avais ton gros examen aujourd'hui, mais j'imagine que c'est terminé, à l'heure qu'il est. Tu ne réponds nulle part, et je suis désespérée ! Imagine-toi donc que mes parents ont décidé que j'allais passer UN MOIS dans un CAMP DE VACANCES ! Tout ça parce que mon petit frère n'est pas assez débrouillard pour se garder tout seul et parce que mes parents ont trop peur de l'envoyer seul dans un camp sans la présence de sa grande sœur !

Ma vie est finie ! J'ai des broches et je dois passer plus de quatre semaines avec des gens plus jeunes que moi ! Oui, tu as bien lu ! Mes parents m'ont inscrite sans me le dire dans les groupes des « grands » de douze à quinze ans ! Et comble de la honte, les apprentis moniteurs sont âgés entre quinze et dix-sept ans, ce qui veut dire que je me ferai dicter quoi faire par un gars certainement *cute* et du même âge que moi ! Ou pire, un gars de seize ou dix-sept ans qui me prendra pour un bébé !

Mes parents m'ont montré le dépliant du camp Soleil en essayant de me convaincre qu'il s'agirait d'une expérience inoubliable ! C'est sûr que si je passe un

mois à manger de la terre, à faire rire de moi et à dormir dans des tipis, ça risque d'être inoubliable ! J'ai tout essayé pour les décourager, mais il n'y a rien à faire ! En plus, le camp commence le 28 juin, ce qui veut dire que je raterai les festivals et que je ne pourrai pas te visiter avant le mois d'août !! Je vais aussi devoir annoncer à JP qu'on ne se verra pas pendant un mois. Tu devines que ça ne me rassure pas du tout de le laisser seul avec Géraldine pendant ce temps-là, surtout en sachant qu'il n'est pas super prêt à s'investir dans notre couple. Qu'est-ce que je vais faire ? ! À L'AIDE !
Lou

À : Marilou33@mail.com
De : Léa_jaime@mail.com
Date : Mardi 27 mai, 20 h 23
Objet : Je suis là !

Désolée ! Je suis allée souper à la pizzéria d'à côté avec mes parents et Félix, et mon père refuse qu'on sorte notre cellulaire à table. Ça fait partie de ses principes antitechnologiques. Mais je suis là et je sympathise avec toi, surtout parce que ça me décourage profondément de penser que je ne te verrai pas avant le mois d'août. Je ne sais même pas comment je vais survivre sans toi pendant tous ces mois.

Si ça peut te remonter le moral, je vais essayer de discuter avec mes parents pour savoir si je ne pourrais pas venir faire un tour chez toi entre la fin des classes et ton départ. Pour ce qui est du camp, j'avoue que c'est vraiment la honte de te retrouver dans le groupe de douze à quinze ans, mais dis-toi que si tu avais été avec les apprentis moniteurs, tu te serais sentie *full* incompétente parce que tu n'as aucune expérience dans le domaine, et sans doute un peu immature, parce que tu aurais été la plus jeune du groupe. Le fait d'être la plus vieille augmentera sûrement ta cote de popularité, non ?

Et je suis certaine que tu trouveras des activités que tu aimes ! En plus, tu reviendras bronzée et les nunuches teintes seront vertes de jalousie ! ;)

Je dois (encore) étudier, mais ne te décourage pas ! On va trouver une façon de se voir, et tu vas trouver une façon de passer au travers de ces semaines dans la nature. Pour ce qui est de JP, s'il n'est pas capable de t'attendre, c'est qu'il ne vaut pas mieux que son ami Thomas ! ;)
Léa

P.-S. : En passant, les morceaux de légumes coincés entre les dents, ça n'arrive pas juste à ceux qui ont des broches ! Je viens de me rendre compte que j'avais un grain de poivre coincé entre les palettes, et aucun membre de ma famille n'a daigné me le dire pendant le souper ! Quand je pense que j'ai fait un grand sourire au serveur *cute* avant de partir, j'ai le goût de disparaître sous terre. Lol !

À : Léa_jaime@mail.com
De : Marilou33@mail.com
Date : Mercredi 28 mai, 19 h 07
Objet : Merci !

Merci pour les encouragements et pour l'anecdote du grain de poivre. Ça me rassure de savoir que tu peux avoir l'air aussi folle que moi !

On a des examens toute la semaine ici aussi, alors j'ai décidé de ne pas trop penser au camp, et surtout de ne pas en parler à JP tant que je ne sens pas que notre relation n'est pas plus solide et que Géraldine-la-pas-fine ne va pas me le chiper pendant que je rame au milieu d'un lac en compagnie des moustiques.

Et toi ? Tu t'en sors avec les examens ? Et avec Éloi ? Ça va ? Dis-toi que ça pourrait être pire, et que tu pourrais aller chanter des chansons autour d'un feu sous la pluie en faisant semblant d'avoir du plaisir pendant quatre semaines. Et tout ça... avec des broches !

En colonie de vacances, la si, la sol. En colonie de vacances la si, la sol, fa mi ! On saute sur les lits, la si, la Zzz ! Soupir.
Lou xox

À : Marilou33@mail.com
De : Léa_jaime@mail.com
Date : Vendredi 30 mai, 18 h 55
Objet : Bravo, Léa !

Je suis tellement en colère ! Imagine-toi donc que moi, Léa Olivier, je viens de me faire *flusher*, comme dirait Maude, pour une deuxième fois en moins d'un an par un chum différent ! Bravo, Léa ! Beau travail ! Si tu continues comme ça, tu réussiras à te faire plaquer par à peu près tous les gars qui ont du bon sens d'ici la fin du secondaire !

Pourquoi ne pas battre le record mondial du *flushage*, tant qu'à y être ? Au moins, j'en retirerais une plus grande satisfaction que de me sentir abandonnée et rejetée par les gars que j'aime !

Je sais que la situation ne s'était pas vraiment améliorée avec Éloi, mais j'avoue que je ne m'attendais pas à ce qu'il casse aujourd'hui.

Hier midi, on a eu une petite prise de bec après la réunion du journal parce qu'il trouvait que je ne prenais « pas assez de place quand venait le temps de prendre des décisions ».

Moi : Pourquoi tu dis ça ? Il me semble que je m'affirme, pourtant !
Lui : Pas tant que ça. Je sais que tu as plein de bonnes idées, et il me semble que tu pourrais t'assumer un peu plus.
Moi : Ben là ! T'exagères ! Dis donc que je suis plate, tant qu'à y être. Je ne suis pas une statue, quand même !
Lui (un peu irrité) : Je n'ai jamais dit ça, non plus ! Tu vois à quel point tu interprètes toujours mal ce que je dis ? ! C'est pour ça qu'on passe notre temps à se chicaner !
Moi (tout aussi irritée) : On ne passe pas notre temps à se chicaner ! Je tiens juste à te prouver que je m'assume et que je dis ce que je pense en défendant mon opinion ! Bref, je ne suis pas d'accord avec toi ! Est-ce que c'est assez assumé, ça ?
Lui (en haussant les épaules et en soupirant) : Ah, et puis laisse faire !

On a marché en silence vers nos classes respectives, et après l'école, j'ai fait comme si de rien n'était parce que je n'avais pas envie de me chicaner encore une fois, ni de me casser la tête avec ça, alors qu'on avait notre gros examen ce matin.

Aujourd'hui, j'ai réussi à m'en tirer pas si mal à l'examen, mais Éloi me réservait une « belle » surprise après l'école. Lorsqu'il est venu me rejoindre à mon casier, j'ai couru vers lui pour l'embrasser.

Moi : On a fini l'examen ! Je suis sûre que c'est pour ça qu'on s'est chicanés hier ! On devait être stressés.
Lui (un peu nerveux) : Ouin... Parlant de ça, il faudrait que je te parle.
Moi : OK. Tu as l'air nerveux. Ça va ? Tu sais, si c'est à propos d'hier, je pense que ça ne sert à rien de revenir là-dessus. Peut-être que des fois, je pourrais essayer de m'assumer plus dans le groupe, mais en général, je pense que j'aime bien écouter ce que les autres ont à dire et m'exprimer par écrit. C'est plus naturel pour moi...
Lui (en m'interrompant) : Non, ce n'est pas juste ça.

Il m'a entraînée à l'extérieur de l'école et nous nous sommes assis à une table à pique-nique. Ironiquement, c'était la même où nous nous étions retrouvés il y a à peine trois semaines.

Lui (en regardant par terre) : Léa... Il n'y a pas dix mille façons de dire ça...
Moi (en riant nerveusement et en essayant de détendre l'atmosphère avec une blague plate) : Tu es le frère de Maude ?
Lui (en souriant un peu) : Non...

Moi (en continuant sur ma lancée pour qu'il évite de dire ce que je savais qu'il s'apprêtait à dire) : Tu es le fils du prof de maths ?
Lui (en perdant son sourire) : Ça ne fonctionne plus, Léa.
Moi (en sentant les larmes me piquer les yeux) : Mais pourquoi tu dis ça ? J'avoue que ce n'est pas super évident depuis qu'on est revenus ensemble, mais c'est normal, non ? C'est genre une période d'adaptation (une autre théorie de ma mère) !
Lui (en essuyant les larmes qui coulaient maintenant sur ses joues) : Tu sais comme moi que ce n'est pas normal qu'on ne puisse plus discuter sans se disputer, ni qu'on ne s'amuse plus ensemble. On passe plus de temps à se chicaner que de temps à profiter l'un de l'autre !
Moi (en essuyant aussi mes larmes en sentant la colère monter en moi) : Mais ce n'est pas juste ! Tu as pris une pause de nous parce que tu trouvais que je ne t'aimais pas assez et que c'était trop compliqué, et tu casses trois semaines plus tard pour des raisons complètement différentes !
Lui (en s'efforçant de rester fort) : Mais ça revient au même ! Ça ne fonctionne pas et c'est trop difficile. Il me semble qu'une relation, ce n'est pas censé être compliqué comme ça !
Moi (en commençant à crier) : Et tu crois que tu es simple, toi ? Ça fait trois semaines que je marche sur des œufs avec toi et que je ne sais plus comment agir

pour ne pas que tu te sentes offensé par ce que je dis. Je sens que je n'ai plus le droit d'être moi-même !
Lui : Ce n'est pas vrai ! Tout ce que je demande, c'est que tu sois toi-même avec moi !
Moi (en me levant et en criant de plus en plus fort) : OK ! Tu veux que je sois moi-même ? *J'haïs* ça faire des promenades dans la neige et grimper des montagnes par -20 °C ! Je n'aime pas l'hiver, je n'aime pas la randonnée et je n'aime pas quand tu boudes parce que je ris avec mes amis et que je ne te donne pas de l'attention vingt-quatre heures sur vingt-quatre ! Et SURTOUT, je n'aime pas que tu me fasses poireauter pendant deux semaines avant de décider si je mérite encore d'être ta blonde, ni de me faire *flusher* une deuxième fois parce que tu décides que tu ne m'aimes plus !
Lui : Ce n'est pas si simple que ça. Je t'aime encore, Léa !
Moi : Eh bien, si tu m'aimes tant que ça, reste avec moi ! Ce n'est pas compliqué, il me semble ! Je t'ai donné assez de preuves que je tenais à toi et tu as eu assez de temps pour te brancher. Si tu décides que c'est fini, c'est parce que tu le penses vraiment !

Éloi m'a regardée droit dans les yeux.

Lui : Je ne sais pas quelle est la meilleure solution, mais je sais que je ne m'endure plus moi-même depuis qu'on a repris. Je me sens dépendant, déprimé et soumis. Je ne dis pas que c'est de ta faute... Je dis simplement que je ne suis plus bien. Je ne me reconnais plus et je pense qu'on mérite mieux, tous les deux.

Il y a eu un long moment de silence, puis Éloi s'est approché de moi. Il m'a serrée contre lui et nous avons tous les deux éclaté en sanglots. J'ai alors ressenti la même boule dans la gorge et le même trou dans la poitrine que lorsque Thomas m'a laissée. La différence, c'est que je sentais que j'avais vraiment fait mon possible pour que ça marche et que je savais que j'allais m'en sortir saine et sauve.

Je me suis dégagée et j'ai ramassé mon sac à dos. Il n'y avait plus rien à dire. Je m'apprêtais à me rendre à l'arrêt d'autobus quand Éloi m'a interpelée.

Lui : Léa ?
Moi : Oui ?
Lui (en essuyant ses larmes et en avançant vers moi) : C'est peut-être trop tôt pour te demander ça, mais je n'arrive pas à supporter l'idée que tu ne seras plus dans ma vie... Est-ce que tu penses qu'on pourrait rester amis ?
Moi : Pas tout de suite, Éloi.

Comme je n'avais rien d'autre à ajouter, je suis rentrée chez moi et je suis vite montée à ma chambre, parce que je n'avais aucune envie que Félix et mes parents sachent ce qui s'était passé.

La mauvaise nouvelle, c'est que je sens que je vais passer la fin de semaine à pleurer (et manger des beignes), mais la bonne, c'est qu'il me reste moins de trois semaines avant les vacances, et que je pourrai alors sombrer dans l'ennui, la rejetitude et la tristesse sans devoir confronter Éloi et les nunuches tous les jours ! J'aimerais simplement qu'il existe un remède miracle qui me permette de l'oublier plus vite, ou de faire avancer le temps plus vite et de me changer les idées sans penser à lui et à notre rupture.

Je sais que tu passes la soirée avec JP, alors je ne veux pas te déranger, mais fais-moi signe dès que tu peux, OK ? Tu me manques beaucoup et je donnerais tout pour être avec toi !
Léa xox

Dimanche 1er juin

11 h 01

Félix (en ligne) : Tu sais que ta musique triste n'aide pas à améliorer ton état ?

11 h 01

Léa (en ligne) : Je sais. ☹ Mais comme je ne veux pas répéter la même histoire qu'avec Thomas et être déprimée pendant des semaines, je me suis dit que j'allais pleurer toutes les larmes de mon corps en une fin de semaine pour passer à autre chose le plus vite possible.

11 h 02

Félix (en ligne) : Tu sais comme moi que ce n'est pas si facile que ça. ☺ Je pense au contraire que tu devrais te changer les idées !

11 h 03

Léa (en ligne) : Je n'ai pas d'énergie.

11 h 04

Félix (en ligne) : Allez ! Moi, ça m'aidait quand j'étais triste à cause de Katherine.

11 h 04

Léa (en ligne): Tu proposes quoi?

11 h 05

Félix (en ligne): On va faire un tour de voiture!

11 h 06

Léa (en ligne): Tu m'utilises pour emprunter la voiture des parents?

11 h 06

Félix (en ligne): Mais non! Contrairement à ce que tu penses, ça m'arrive d'être gentil et de penser au bien-être de ma petite sœur. Et je n'aime pas ça te voir dans cet état-là. Il faut que tu rebondisses! Tu es une Olivier, après tout.

11 h 07

Léa (en ligne): Ouin, OK. ☺ J'espère juste qu'Éloi est aussi triste que moi.

11 h 08

Félix (en ligne): Je peux te confirmer qu'il est aussi triste que toi.

11 h 08

Léa (en ligne): Tu lui as parlé?

11 h 09

Félix (en ligne): Oui, il m'a appelé hier pour en discuter. Comme on est amis, il ne voulait pas qu'il y ait de malaise.

11 h 09

Léa (en ligne): Et quoi? Il a dit que tout était de ma faute? Que je n'avais pas su être à la hauteur?

11 h 11

Félix (en ligne): Pas du tout. Tu sais bien qu'Éloi ne dirait jamais ça. Il m'a juste expliqué que ça ne fonctionnait plus. C'est un bon gars, Léa. Je pense juste que vous n'étiez pas faits pour être ensemble.

11 h 11

Léa (en ligne): Tu penses vraiment ça?

11 h 12

Félix (en ligne) : Oui. Je pense que vous êtes faits pour être de bons amis, mais sans plus. Peut-être qu'avec le temps, vous pourrez retrouver votre complicité ? Regarde Katherine et moi !

11 h 12

Léa (en ligne) : Peut-être après l'été, mais pour l'instant, c'est trop difficile. En tout cas, on fait une belle paire ! Les Olivier qui se retrouvent tous les deux célibataires.

11 h 13

Félix (en ligne) : Yep ! Les Olivier sont sur le marché !

11 h 13

Léa (en ligne) : Ben là ! On dirait qu'on est des légumes en vente chez Provigo ! J'aime mieux « Les Olivier ont retrouvé leur liberté ! »

11 h 14

Félix (en ligne): C'est un super slogan, ça! Viens, on va parcourir les rues de Montréal en scandant ça! Je te promets qu'on va revenir accompagnés.

11 h 15

Léa (en ligne): T'es niaiseux! ☺ Mais t'as raison pour la balade. Ça va me changer les idées. Je m'habille et j'arrive!

À : Léa_jaime@mail.com
De : Marilou33@mail.com
Date : Mercredi 4 juin, 19 h 03
Objet : Vive le célibat ? !

Salut, Léa !
Je suis contente de t'avoir entendue rire au téléphone hier. Je sais que ce ne doit pas être évident de croiser Éloi à l'école, ni de le fréquenter dans vos réunions du journal, mais dans deux semaines, tu pourras officiellement tirer un trait sur cette première année scolaire à Montréal et prendre une pause de tous tes drames pendant quelques mois.

Je suis aussi contente que tu aies le soutien de ton frère, de Jeanne, d'Alex et de Katherine. Tu ne pourras plus dire que tu es seule à Montréal !

Ici, rien ne va plus. Après l'école, j'ai décidé d'annoncer à JP que je devais partir au camp Soleil à la fin du mois. J'espérais qu'il me rassure et qu'il me dise de ne pas m'en faire, car la distance n'allait rien changer à notre amour et que la dernière semaine lui avait permis de réaliser à quel point il tenait à moi et était prêt à s'investir, mais il s'est contenté de hausser les épaules en me disant que « de toute façon, il allait être *full* occupé en juillet. »

Moi : Donc ça ne te dérange pas que je parte ?
Lui : Je n'ai jamais dit ça ! Je pense juste que ça ne changera pas grand-chose parce qu'on n'aurait pas pu passer beaucoup de temps ensemble. J'ai accepté de travailler au garage avec Thomas.
Moi : Je suis en train de t'annoncer qu'on ne se verra pas pendant quatre semaines, et c'est tout ce que tu trouves à me dire ?
Lui : C'est plate, Lou, mais ce n'est pas la fin du monde non plus. Seb s'en va à Québec pendant deux semaines, et je ne vois pas Steph en faire toute une histoire !
Moi : Ce sont deux semaines, pas quatre ! Et à ce que je vois, leur couple va pas mal mieux que le nôtre !
Lui : Pourquoi tu dis ça ? Je pensais qu'on avait clarifié les choses la semaine passée !
Moi : On a clarifié que tu étouffais et que tu n'étais pas aussi investi que moi dans notre relation. Sais-tu à quel point ça me fait souffrir de savoir ça ? Réveille, JP !

J'ai tourné les talons et je suis allée rejoindre Laurie et Steph pour leur raconter la situation. Je sais que tu trouves parfois que Laurie s'emporte, mais j'avais besoin de partager mes frustrations avec quelqu'un, et même Steph a admis que JP exagérait !

Je suis vraiment déprimée, parce que non seulement je sens que mon chum se fiche de moi, mais en plus, je ne pourrai pas te visiter avant le mois d'août parce que je pars dans un camp bidon.

J'espère vraiment que tu pourras venir ici avant mon départ !
Lou xox

À : Marilou33@mail.com
De : Léa_jaime@mail.com
Date : Vendredi 6 juin, 22 h 03
Objet : On y va ?

Tu seras contente de savoir que je suis d'accord avec Laurie sur ce coup-là ! Je pense qu'il est grand temps que JP se réveille et qu'il fasse quelque chose s'il ne veut pas te perdre. J'espère que ton message est bien passé et que ça le fera réagir.

De mon côté, je commence à voir la lumière au bout du tunnel. Aujourd'hui, c'était la dernière journée de cours. Il ne reste que deux semaines d'examens avant de terminer l'année, mais au moins, je n'aurai plus à endurer les commentaires de Maude, ni les ricanements des autres nunuches, ni les regards langoureux et déplacés que m'envoie José depuis qu'il a été mis au courant de ma rupture avec Éloi. Décidément, il ne gagnerait pas la palme du chum de l'année, lui non plus !

Même si j'ai passé une semaine plutôt difficile, j'ai tout de même survécu, et pour la première fois aujourd'hui, j'ai ressenti un petit pincement de joie en rentrant à la maison. J'ai remarqué à quel point les arbres étaient verts, et j'ai réalisé que j'avais vraiment réussi à passer à travers d'une année scolaire sans y laisser ma peau !

Malgré les hauts et bas, les moments de honte, les commentaires désobligeants des nunuches, les peines d'amour et les mauvaises présentations orales en anglais, j'ai réussi à me tailler une place au journal étudiant et à nouer des amitiés solides.

Je me suis demandé ce qui me rendrait encore plus heureuse, et j'ai compris que ce serait d'être avec toi. J'ai alors eu une idée de génie : pourquoi je ne t'accompagnerais pas au camp Soleil ? Mes ateliers d'écriture ne commencent qu'en août, et je ne me suis toujours pas inscrite au soccer, alors rien ne m'empêche de partir quelques semaines vivre dans le bois avec ma *best*. Je pense aussi que ça me ferait du bien de prendre un peu de recul et de quitter Montréal pendant quelque temps.

En plus, tu n'aurais pas à être la seule à avoir honte d'être la plus vieille ! On pourrait reluquer les beaux moniteurs et se ridiculiser en ramant tout croche, ensemble ! Qu'est-ce que tu en penses ?

J'en ai déjà parlé à mes parents qui ont tout de suite accepté. Ma mère pense que l'air de la campagne me fera du bien et mon père est content, parce qu'il dit que ça me fera bouger un peu et que ça m'empêchera de dépenser (sans commentaires). J'ai appelé et il reste de la place, alors il ne me manque que ton OK pour m'inscrire et pour me lancer dans cette aventure avec toi !

J'attends de tes nouvelles !
Léa xox

À : Léa_jaime@mail.com
De : Marilou33@mail.com
Date : Dimanche 8 juin, 10 h 15
Objet : Vive le célibat !!!!

LÉA !! OUI !! VIENS AVEC MOI !
En ce moment, je pleure de joie et de tristesse ! Je t'annonce officiellement que nous serons deux célibataires au camp Soleil, alors les gentils moniteurs n'auront qu'à bien se tenir !

Hier soir, JP est arrivé chez moi sans prévenir pour me parler. Il m'a dit qu'il comprenait ma frustration, mais qu'il ne pouvait pas me donner plus pour le moment, et que c'était à prendre ou à laisser. J'ai répondu que je n'avais pas envie de partir pendant quatre semaines avec une épée de Damoclès au-dessus de la tête. Il n'a rien compris à l'expression, alors j'ai dû lui expliquer clairement que je n'avais pas envie d'un chum qui se donnait à moitié, et que je ne voulais pas partir sans avoir la certitude qu'il tenait à moi et que je pouvais lui faire confiance. Il n'a rien trouvé à dire, alors j'ai cassé. J'en ai assez de me sentir comme une vieille guenille !

Je pensais que mon cœur allait exploser de tristesse jusqu'à ce que je lise ton courriel. Tu sais quoi ? Si tu as pu survivre à Montréal, aux nunuches, aux rumeurs, au chantage et à ta rupture avec Thomas et Éloi, je sais que je pourrai m'en sortir, moi aussi. Tu m'inspires, Léa, et tu as de quoi être fière !

Je suis trop contente que tu m'accompagnes, et le camp Soleil ne paie rien pour attendre ! Marilou et Léa s'en viennent, le cœur libre et l'esprit tranquille. Que l'aventure commence !
Lou xox

À suivre...